MERVEILLEUSES
MAISONS DE POUPÉES

MAISONS DE POUPÉES

FAITH EATON

Avant-propos
Flora Gill Jacobs

Photographies de
Matthew Ward

Libre Expression

Titre original de cet ouvrage
THE ULTIMATE DOLL'S HOUSE BOOK

Traduction-adaptation
Daniel Alibert-Kouraguine

ISBN : 2-89111-740-9
Dépôt légal : 3e trimestre 1997

Photocomposition :
Nord Compo, Villeneuve-d'Ascq
Imprimé en Italie

Dans la même collection
Merveilleuses Poupées

SOMMAIRE

PRÉFACE
Flora Gill Jacobs

ANS UNE MAISON DE POUPÉES, « le temps suspend son cours en conservant intacte l'atmosphère d'une époque, comme jamais cela ne pourrait se trouver dans une véritable demeure humaine ».

J'écrivis ces mots en 1965 dans *A History of Dolls' Houses*. Et si je les reprends ici, c'est non seulement pour souligner l'intérêt historique des maisons de poupées, mais aussi parce que, plaisante coïncidence, j'ajoutai alors : « Je ne saurais fournir meilleur exemple que les souvenirs d'enfance d'une spécialiste anglaise, Miss Faith Eaton. » L'auteur du présent ouvrage m'avait en effet écrit pour me raconter comment, en 1940, alors que Londres subissait les bombardements allemands, elle jouait avec une maison de poupées « aux fenêtres occultées de papier opaque, selon les prescriptions de la Défense passive ». Faith Eaton était ainsi présente dans mon livre, comme je le suis aujourd'hui dans le sien. Le monde est bien petit, pour les amateurs de maisons de poupées !

Reste toutefois que, depuis un certain nombre d'années, ce monde est en pleine expansion. On assiste en effet à une véritable renaissance de la maison de poupées, tant pour ce qui est des collections de modèles anciens que de la création d'ameublement pour des modèles plus récents. Et cette vogue nouvelle donne lieu à une prolifération de clubs, de magasins et d'ouvrages spécialisés.

NAISSANCE D'UNE VOCATION

En 1945, quand j'entrepris de rédiger une histoire des maisons de poupées, le sujet n'avait encore jamais été traité dans son ensemble. Au tout début du siècle, un ouvrage fort bien documenté avait été publié

MAISON MEXICAINE
Découverte en 1977 dans l'invraisemblable bric-à-brac poussiéreux d'un brocanteur de Pueblo, au Mexique, cette demeure est désormais exposée au Dolls' House & Toy Museum de Washington. Mesurant 2,28 m de haut et 1,83 m de large, elle comprend une chapelle, une volière et un jardin en terrasse.

JEUX D'ENFANTS
Comme en témoigne cette illustration du début de ce siècle, beaucoup de maisons de poupées furent tout d'abord des jouets, avant d'intéresser, par la suite, les collectionneurs et les historiens.

en allemand et en néerlandais sur les superbes *puppenhuizen* hollandaises des XVIIᵉ et XVIIIᵉ siècles ; un peu plus tard, plusieurs ouvrages avaient été consacrés à la maison de poupées offerte en 1924 à la reine Mary par ses sujets. Mais, pour le reste, il s'agissait d'un domaine auquel personne ne semblait s'intéresser. Quand je me rendis à Londres en 1948, plusieurs semaines passées à écumer les antiquaires à la recherche de vieilles maisons de poupées et de mobilier miniature ne me permirent de dénicher que deux chaises et un canapé.

L'UTILE ET L'AGRÉABLE

C'est en 1975 que fut créé à Washington le musée de la Maison de poupées et du Jouet. A cette époque, le seul autre établissement analogue était le musée privé Vivien Greene d'Oxford, en Angleterre. Mais, depuis quelques années, plusieurs musées consacrés aux maisons de poupées se sont ouverts des deux côtés de l'Atlantique. Et un nombre croissant d'amateurs se lancent à la découverte de cet univers hors du temps.

L'intérêt des maisons de poupées relève essentiellement de la documentation historique et des arts décoratifs. Mais il s'y ajoute un charme indéniable dont les composantes sont plus difficilement analysables. L'un de ces facteurs de séduction a été fort bien évoqué par A.C. Benson, co-auteur avec Sir Lawrence Weaver de *The Book of the Queen's Dolls' House*, qui le résumait ainsi : « La miniaturisation est source d'une grande beauté. Car elle permet de mieux apprécier l'effet produit par la subtile combinaison des formes et des couleurs. »

En d'autres termes, les maisons de poupées ne sont pas seulement des documents à échelle réduite sur l'architecture, les arts décoratifs et la vie quotidienne ; elles ont en outre un attrait d'ordre beaucoup plus émotionnel. Et à cet égard, nul doute que le présent ouvrage soit propre à mettre en valeur cette séduction qu'exercent sur nous les maisons de poupées.

MAISON HACKER
Réalisée à Nuremberg vers 1900, cette maison est caractéristique de la production de la firme allemande Christian Hacker. Elle correspond à une conception de base à laquelle s'ajoutent, selon les modèles, différents détails, comme les fenêtres mansardées que l'on voit ici.

UPPARK
Les neuf pièces (qui peuvent s'ouvrir séparément) de cette maison de poupées anglaise sont superbement meublées et sont occupées par des poupées en costume d'époque. Cette maison fut amenée à Uppark (Sussex) par Miss Sarah Lethieullier, lorsque celle-ci épousa le maître des lieux en 1747.

INTRODUCTION

*La miniaturisation exerce une irrésistible fascination sur les adultes comme sur les enfants :
les premiers admirent surtout l'habileté du travail ainsi réalisé, les seconds sont tout simplement
sous le charme. Ouvrir les portes d'une maison de poupées pour y découvrir ses chambres et
ses salons meublés avec élégance et merveilleusement décorés ou ses cuisines équipées de tous les
ustensiles imaginables permet de pénétrer dans un univers magique. C'est cette magie que nous
souhaitons vous faire partager au fil de ces pages.*

I L N'Y A PAS D'ÂGE pour aimer les maisons de poupées. Beaucoup y prennent goût dès leur petite enfance. D'autres y viennent plus tardivement, par le biais de leur intérêt pour certains sujets tels que l'architecture, la décoration d'intérieur ou l'histoire sociale. Cette fascination pour les modèles réduits est d'origine très ancienne, puisqu'on en trouve des témoignages dès l'Antiquité grecque et romaine. Mais, pour la plupart des collectionneurs occidentaux, les premières étapes marquantes de la longue histoire des maisons de poupées et de leur ameublement se situent vers le milieu du XVIIᵉ siècle, dans les pays de l'Europe du Nord.

D'UN PAYS À L'AUTRE

La plupart des fervents collectionneurs de maisons de poupées des XVIIᵉ et XVIIIᵉ siècles étaient allemands, hollandais ou anglais. En France, ce n'est guère qu'à la fin du XIXᵉ siècle qu'apparurent ces maisons miniaturisées. Jusqu'alors les fabricants privilégiaient le mobilier et les bibelots. L'intérieur de ces modèles réduits reflète l'aménagement des demeures de leurs propriétaires d'alors. Quant à leur aspect extérieur, il diffère selon les pays.

Les Allemands considéraient qu'il était important d'apprendre à leurs filles à devenir de bonnes maîtresses

CABINET HOLLANDAIS
Appartenant à Petronella de la Court, ce cabinet date de la fin du XVIIᵉ siècle. Non seulement le meuble est une superbe pièce d'ébénisterie, mais tous les modèles réduits qu'il renferme sont eux-mêmes de véritables œuvres d'art.

UNANIMITÉ *(CI-DESSUS)*
A en juger par ce détail d'un tableau de Harry Brooker (1848-1941), les garçons s'intéressaient autant que les filles aux maisons de poupées.

MAISON HAMLEYS *(À DROITE)*
Cette maison (voir pages 96-97) était considérée comme « moderne » au moment de sa création, au début des années 1930. Elle fait aujourd'hui partie de ma collection.

de maison. Aussi avaient-ils tendance à utiliser les maisons de poupées comme des jouets éducatifs. Les enfants, toutefois, n'étaient pas autorisés à s'en servir comme de véritables jouets — c'était bien trop précieux pour leur en laisser la libre disposition —, mais ils devaient en tirer des enseignements en ce qui concernait la décoration et l'organisation d'une maison.

Les maisons de poupées allemandes de cette époque étaient meublées avec beaucoup de raffinement et pourvues d'un assortiment très complet d'accessoires ménagers. La plupart n'avaient généralement pas de

façade, de façon à laisser voir leur aménagement intérieur minutieusement travaillé.

Les riches Hollandais étaient souvent de grands collectionneurs de porcelaines, de peintures et de beaux meubles, ainsi que de reproductions en miniature de ces éléments décoratifs. Comme ces modèles réduits avaient généralement de la valeur, on les disposait dans des armoires ou des cabinets spécialement conçus pour ressembler le plus fidèlement possible à l'intérieur d'une maison.

Les meubles hollandais de ce type, comme les maisons de poupées allemandes, n'avaient pas de façade semblable à celle d'une véritable maison, mais des portes destinées à en protéger le contenu. Sara Ploos Van Amstel et Petronella de la Court furent de grandes collec-

POUPÉES DE CIRE
Les poupées de cire du cabinet de Petronella de la Court (voir pages 24-29) sont toutes magnifiquement vêtues de costumes de la fin du XVIIe siècle.

tionneuses hollandaises ; deux de leurs cabinets-maisons de poupées sont présentés dans ce livre *(voir pages 24-29 et 34-37).*

Les collectionneurs anglais des XVIIe et XVIIIe siècles avaient une optique très différente. Pour eux, une maison de poupées devait être exactement ce qu'en suggérait le nom : une réplique à échelle réduite d'une véritable maison, avec ses murs et son toit.

Toutes ces anciennes maisons de poupées que l'on peut encore voir dans des collections privées ou des musées d'Europe et d'Amérique du Nord ouvrent de fascinantes perspectives sur le style de vie et les modes des siècles passés.

ARTISANS D'AUJOURD'HUI

Bien que les maisons de poupées actuelles soient davantage destinées aux enfants, beaucoup de ceux qui les collectionnent continuent de faire appel à des artisans spécialisés pour les meubler. Stimulés par le regain d'intérêt qui se manifeste dans ce domaine, ces artisans s'appliquent à réaliser des modèles réduits dont la remarquable finition leur permet de rivaliser avec ceux des siècles passés.

A cet égard, on en est presque revenu, surtout dans les pays anglo-saxons, à ce qui se faisait autrefois. A une différence près, toutefois. Il y a deux siècles, les collectionneurs cherchaient à faire reproduire en miniature tout ce qui com-

MAISON MANWARING
(CI-DESSUS) Exposée au musée de Farnham (Hampshire), cette belle maison de poupées fut réalisée vers 1788 par John Manwaring pour ses quatre filles. L'intérieur n'est pas meublé, mais les deux étages sont desservis par un élégant escalier double, à balustrade.

CUISINE ALLEMANDE
(CI-DESSOUS) On imagine tout le parti éducatif que l'on pouvait tirer de cette cuisine, avec son équipement très complet et ses multiples ustensiles. Réalisée à Nuremberg vers 1800, elle est aujourd'hui au Dolls' House & Toy Museum de Washington.

POÈME MURAL
(À GAUCHE) Ces quelques vers, rédigés à la main, sont affichés dans une chambre du cabinet de Sara Ploos Van Amstel (voir pages 34-37).

AMBIANCE ACTUELLE
(À DROITE) Cette très belle salle de séjour fait partie de ma collection d'intérieurs contemporains. La tenue de ses occupants ainsi que l'ordinateur en révèlent bien l'époque.

posait leur cadre de vie. Tel fut, par exemple, le cas de Sara Ploos Van Amstel, dont l'un des cabinets présente des répliques fidèles des pièces de sa propre demeure d'Amsterdam. Cette démarche relevait d'une philosophie qu'exprime un petit poème affiché dans une chambre de ce cabinet :

> *Tout ce que l'on voit sur terre*
> *Appartient au domaine des poupées.*
> *Tout ce que l'homme trouve,*
> *Il en joue comme un enfant.*
> *Il vénère un bref instant*
> *Ce qu'il rejette ensuite avec insouciance.*
> *Ainsi l'homme, comme on le voit,*
> *Ne cesse jamais d'être un enfant.*

Aujourd'hui, en revanche, seuls quelques rares collectionneurs maintiennent cette tradition de faire réaliser des modèles réduits de leur propre maison et de son ameublement. La plupart s'intéressent davantage au passé qu'au présent. En Grande-Bretagne, par exemple, où la maison de poupées est particulièrement à l'honneur, on préfère le plus souvent les demeures de style georgien ou victorien à celles qui s'inspirent de l'architecture contemporaine.

CHEFS-D'ŒUVRE EN MINIATURE

L'une des plus remarquables réalisations du XXe siècle dans le domaine qui nous intéresse est la maison de poupées conçue par Sir Edwin Luytens et offerte en 1924 à la reine Mary, épouse du roi George V. Bien que des objets d'art en miniature aient été offerts à toutes les époques aux monarques de nombreux pays, celui-ci est incontestablement l'un des plus beaux.

Aujourd'hui, la Queen Mary's Dolls' House *(voir page 16)* est conservée dans une vitrine du château de Windsor. Mais, en dépit de son nom, on ne peut guère la considérer comme une maison de poupées au sens strict du terme. Car si la distinction entre maisons de poupées et modèles réduits de maisons n'est pas toujours facile à faire, dans ce cas précis, il n'y a aucun doute possible. Cette maison, en effet, est un parfait exemple de modèle réduit, uniquement conçu comme tel et excluant toute présence de poupées. Lorsqu'une œuvre de ce type — maison ou ensemble de pièces — a été conçue dans le seul but de présenter à très petite échelle l'ameublement et la décoration d'une certaine époque, ou de reproduire une demeure historique parti-

MODÈLES RÉDUITS MODERNES
Réalisés par John Hodgson pour sa Maison georgienne (voir pages 48-51), ce fauteuil et ce guéridon témoignent du talent de certains spécialistes actuels de la miniaturisation.

POUPÉES « GRECON »
Telle est l'appellation commerciale de poupées en chiffon sur armature en fil de fer produites par Grete Cohn, entre 1940 et 1960.

culière, la présence de poupées, aussi réussies soient-elles, risquerait de détruire l'illusion de réalité ou de distraire l'attention de l'observateur.

Deux grandes collectionneuses, l'une et l'autre soucieuses de reconstituer dans leurs moindres détails les styles architecturaux et d'ameublement de périodes précises — Mrs Carlisle en Angleterre et Mrs Thorne aux États-Unis —, ont ainsi exclu toute présence de poupées dans leurs modèles réduits d'intérieurs. (Il est d'ailleurs intéressant de noter que ces deux femmes ont œuvré de façon totalement indépendante l'une de l'autre,

MAISON JAPONAISE
(CI-DESSUS) Uniquement conçue comme un élément décoratif à caractère exotique, ce type de modèle réduit n'est pas une véritable maison de poupées.

ÉCOLE JAPONAISE
(À DROITE) Ces petites poupées japonaises, avec leur mobilier en bambou, s'exportaient telles quelles dans les années 1890, sans salle de classe pour les héberger.

entre 1920 et 1960, sans jamais se rencontrer ni même correspondre.)

En revanche, les cabinets et les maisons de poupées superbement meublés et décorés qui furent réalisés aux XVIIe et XVIIIe siècles aux Pays-Bas, en Allemagne et en Angleterre étaient généralement peuplés de poupées en costumes d'époque très élaborés. Et il faut admettre que ces figurines en cire contribuent à la mise en valeur de leur environnement en y ajoutant une certaine dimension « humaine ».

De même, à l'époque actuelle, un grand spécialiste anglais de la miniaturisation, John Hodgson, a choisi d'incorporer des figurines modelées et peintes avec un soin méticuleux dans ses maisons de Hever Castle *(voir pages 48-51).*

DES SURVIVANTS TRÈS RECHERCHÉS

Évidemment, les « vraies » maisons de poupées, celles qui sont destinées aux enfants, se doivent d'être habitées. Et ceux qui en font aujourd'hui collection doivent payer très cher des poupées que leurs propriétaires d'origine avaient pu acquérir pour une bouchée de pain, qu'il s'agisse d'élégantes figurines en cire ou de simples poupées en bois articulées. En dépit de leur fragilité, beaucoup de ces jouets ont survécu, en plus ou moins bon état, certes, mais sans rien perdre de leur charme.

Il en va de même pour les maisons de poupées. Qu'elles soient complètement délabrées ou remarquablement bien conservées, leur séduction demeure intacte. Et même sans avoir le regard d'un collectionneur avisé, rares sont ceux qui ne tombent pas sous le charme d'une marmite à peine aussi grande qu'un dé à coudre ou d'une demeure victorienne trônant sur un guéridon.

Maison de Nostell Priory

La maison de poupées de Nostell Priory est l'une des plus belles du genre et parmi les mieux conservées. Le fait qu'elle n'ait jamais quitté l'imposante demeure anglaise dont elle s'inspire ajoute encore à son prestige.

D IVERSES HYPOTHÈSES ONT ÉTÉ AVAN-CÉES quant aux origines de cette célèbre maison de poupées, y compris que Thomas Chippendale aurait peut-être participé à sa construction. On sait en tout cas que celle-ci débuta en 1735, en même temps que la mise en chantier de la nouvelle demeure de Sir Rowland Winn sur le domaine de Nostell Priory, dans le Yorkshire. Cette maison de poupées fut conçue, décorée et meublée en fonction des goûts de sa propriétaire, lady Winn. En dépit de certaines similitudes avec la véritable demeure de Nostell Priory, qui fut remaniée à plusieurs reprises, notamment par James Paine et Robert Adam, elle s'inspire également de la précédente demeure des Winn à Thornton Curtis, dans le Lincolnshire (son escalier en particulier). La balustrade et les statues du toit sont une idée de Robert Adam, qui en fit la suggestion pour Nostell Priory, où elles ne furent toutefois jamais réalisées.

PORTRAITS
En 1729, Sir Rowland Winn épousa Suzanna Henshaw, fille du lord-maire de Londres. Lady Winn supervisa elle-même toute la décoration intérieure de sa maison de poupées, dont elle réalisa aussi une très grande partie des travaux de couture.

FAÇADE *(CI-DESSUS)*
Il faut prendre du recul pour apprécier pleinement les belles proportions de l'ensemble, du toit à balustrade jusqu'au sous-sol.

DOMESTIQUES *(CI-DESSUS)*
Les costumes des poupées sont à la mode en usage au milieu du XVIIIᵉ siècle anglais.

LA VÉRITABLE DEMEURE
(À GAUCHE) Une gravure de Nostell Priory vers le début du XIXᵉ siècle.

TAPISSERIE CHINOISE

(À GAUCHE) Une tapisserie à motifs d'inspiration chinoise rehausse de ses belles et vives couleurs l'austérité du petit salon d'angle du premier étage.

SECOND ÉTAGE

La très chaude couleur des tissus d'ameublement crée une douce ambiance de confortable élégance dans le boudoir *(à gauche)*, ainsi que dans la chambre *(au centre)*. La chambre de la jeune mère *(à droite)* se distingue par l'extrême fraîcheur des draperies à fleurs.

PREMIER ÉTAGE

La tapisserie colorée égaie le petit salon *(à gauche)*, tandis que dans la chambre *(au centre)*, le velours rouge des murs crée une harmonie un peu sévère avec les boiseries sombres. Dans le grand salon d'apparat *(à droite)*, le somptueux décor mural ajoute à l'aspect imposant de la cheminée.

REZ-DE-CHAUSSÉE

La cheminée de la salle à manger *(à gauche)*, est surmontée d'une peinture et d'un miroir en trumeau à encadrement doré. Le hall d'entrée *(au centre)* se signale par le caractère imposant de son escalier. La cuisine *(à droite)* surprend par son excessive netteté.

Mêmes lambrequins qu'au ciel de lit de la chambre voisine

Écran de cheminée recouvert de tapisserie

Fauteuil à pieds en cabriole

Tabouret capitonné assorti au fauteuil

Cantonnières avec lambrequins à bordure dorée

Cheminée en marbre surmontée d'un trumeau

Comme au premier étage, trumeau incluant un miroir

Soupière en argent

Table-console à dessus de marbre

Corne
d'abondance
très détaillée

Statue
de femme
sur un
piédestal

Chérubin
à chaque angle
du toit

Urne sculptée
avec minutie

Fenêtre à
encadrement
décoratif

Pilier de la
balustrade

Corniche
à modillons

Armoiries
de la famille
au tympan
du fronton

Claveau
décoratif
au-dessus
de la fenêtre

Fenêtre
à guillotine
et à huit
panneaux
de verre

Pilastre
de style
ionique

Fenêtre
à fronton
du rez-de-
chaussée

FRONTON *(CI-DESSUS)*
Ces belles armoiries sculptées
préfiguraient en réduction
celles qui furent réalisées
ensuite (1743) par James
Paine, à beaucoup plus
grande échelle, sur le fronton
de la véritable demeure
en pierre de Nostell Priory.

181 cm

214 cm

*Façade s'ouvrant en deux panneaux
qui coulissent latéralement*

Un superbe mobilier

LA MAISON DE POUPÉES de Nostell Priory date de la première moitié du XVIIIe siècle. Or, en dépit de son âge, pratiquement tout ce qu'elle renferme est d'origine : meubles, décoration, poupées et accessoires divers. La qualité des peintures, des porcelaines, de la verrerie, de l'argenterie n'a d'égale que celle du mobilier, lequel, selon la tradition de la famille Winn, inclurait certaines pièces réalisées par Thomas Chippendale. Il paraît en tout cas évident que celui-ci a inspiré la conception d'une bonne partie de cet aménagement, comme en témoignent les exemples de cette page.

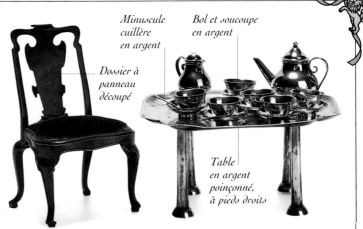

Minuscule cuillère en argent

Bol et soucoupe en argent

Dossier à panneau découpé

Table en argent poinçonné, à pieds droits

CHAISE ET TABLE (CI-DESSUS)
Cette chaise est l'un des nombreux sièges de style Chippendale de cette maison de poupées. La table, en argent, plus simple que le service à thé, est d'une facture étonnamment moderne.

HORLOGE (CI-DESSOUS)
Ce petit chef-d'œuvre de miniaturisation témoigne d'une remarquable maîtrise de la technique utilisée en horlogerie. Le corps est en noyer, agrémenté de colonnettes et de faîteaux en métal doré.

TABLE DE JEU (CI-DESSOUS)
Les pieds articulés peuvent se replier sous le plateau pour ranger la table lorsqu'elle n'est pas en service. La chaise, bien que de conception sommaire, est confortablement rembourrée.

Faîteaux dorés surmontant l'horloge

Tapis de jeu en velours

Verres à pied et carafe en verre bleu

Loge d'angle pour disposer les jetons

Cadran doré, avec aiguilles et chiffres en noir

Chaise simple à siège rembourré

Chaise à dossier en bois tourné

Chaise du hall d'entrée

Horloge à corps en noyer ciré

Vase en porcelaine bleu et blanc

Pot en porcelaine peinte

Caisiers au-dessus de l'abattant

Jarre à couvercle de style oriental

Répliques de poignées en bronze

SECRÉTAIRE EN NOYER VERNI
(CI-DESSUS) Des traverses escamotables soutiennent le pupitre lorsqu'il est rabattu, dévoilant ainsi des casiers et de petits tiroirs. Le corps vitré est équipé d'étagères et le bas de tiroirs.

CHAISE DU HALL D'ENTRÉE
(À GAUCHE) Aux quatre chaises massives, à dossier plein, s'ajoutent deux modèles à dossier en bois tourné qui encadrent la cheminée.

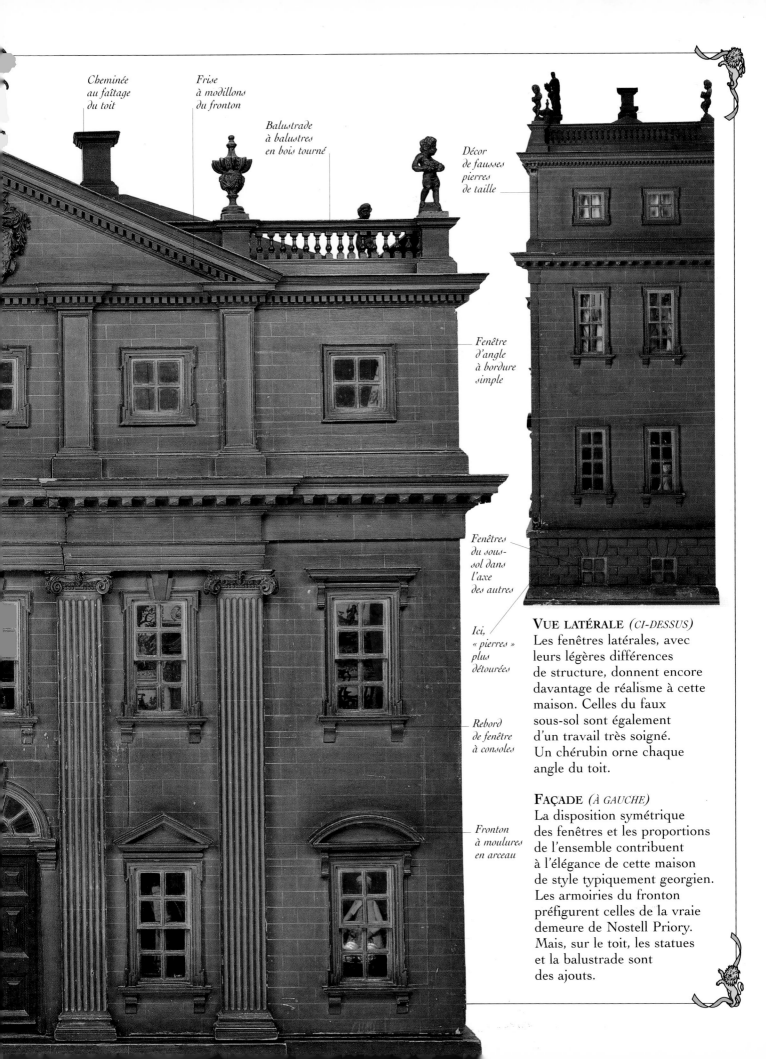

Cheminée
au faîtage
du toit

Frise
à modillons
du fronton

Balustrade
à balustres
en bois tourné

Décor
de fausses
pierres
de taille

Fenêtre
d'angle
à bordure
simple

Fenêtres
du sous-
sol dans
l'axe
des autres

Ici,
« pierres »
plus
détourées

Rebord
de fenêtre
à consoles

Fronton
à moulures
en arceau

VUE LATÉRALE *(CI-DESSUS)*
Les fenêtres latérales, avec
leurs légères différences
de structure, donnent encore
davantage de réalisme à cette
maison. Celles du faux
sous-sol sont également
d'un travail très soigné.
Un chérubin orne chaque
angle du toit.

FAÇADE *(À GAUCHE)*
La disposition symétrique
des fenêtres et les proportions
de l'ensemble contribuent
à l'élégance de cette maison
de style typiquement georgien.
Les armoiries du fronton
préfigurent celles de la vraie
demeure de Nostell Priory.
Mais, sur le toit, les statues
et la balustrade sont
des ajouts.

BIBELOTS

DANS L'EUROPE DU XVIIIe SIÈCLE, les objets d'art de petit format étaient très à la mode. On les présentait dans des vitrines ou dans des maisons de poupées. Certains artisans se spécialisaient même dans la miniaturisation des objets usuels, notamment de l'argenterie, dont la maison de poupées de Nostell Priory offre un assortiment d'une remarquable finition.

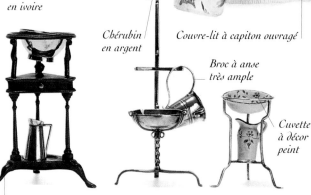

Support ouvragé du ciel de lit

Bordure à simples festons

Chintz à décor floral

Taie de traversin assortie à l'oreiller

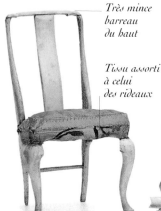

Très mince barreau du haut

Plaque de cheminée à personnage

Tissu assorti à celui des rideaux

Pincettes en ivoire

Garde-cendres en ivoire

IVOIRE SCULPTÉ *(CI-DESSUS)*
Dans la chambre qui est réservée à la jeune mère, tous les accessoires de la cheminée sont en ivoire, de même que les quatre chaises, à pieds de devant en cabriole.

TOILETTE *(À DROITE)*
La table de toilette, à piètement et tiroir triangulaires, est équipée d'une cuvette et d'un broc en argent. A droite, on voit d'autres accessoires de toilette, en argent et en porcelaine.

BOUILLOIRE *(À DROITE)*
Cette bouilloire en argent, sur son support chauffant (également en argent), a une très jolie poignée en bois tourné.

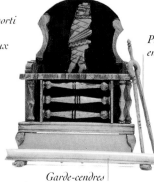

Piètement triangulaire

Chérubin en argent

Couvre-lit à capiton ouvragé

Broc à anse très ample

Cuvette à décor peint

LIT À BALDAQUIN
(CI-DESSUS) Contrairement à la plupart des autres lits de ce type (qui étaient destinés à impressionner les visiteurs), celui-ci est décoré avec une relative simplicité.

TABLE ET ÉGOUTTOIR
(CI-DESSOUS)
Ces deux élégants petits meubles de cuisine servent de support à un superbe assortiment d'argenterie.

Réservoir à eau chaude en argent

Pot à épices

Saupoudreur à couvercle ajouré

Tiroir pouvant s'ouvrir

Assiettes en argent poinçonné

Réchaud-support à trépied

Placard d'angle à porte peinte, au-dessus de la cheminée

Chérubin en bois sculpté

Rideaux assortis aux draperies du lit

Berceau en osier capitonné

Décor mural à paysages

Rideaux en velours rouge à bordure dorée

Moulure de protection du décor mural

Tapisserie faisant office de tapis

Râtelier des broches à rôtir

Mécanisme de rotation des broches

Roulettes pour faire coulisser les panneaux de façade

CHEMINÉE *(CI-DESSUS)*
Un buste doré, entouré
d'un panneau à motifs
sculptés, surplombe
l'imposante cheminée
en marbre, avec son
garde-cendres en étain.

PORTE DU GRAND SALON
(CI-DESSUS) Cette porte
à quatre panneaux est
décorée de moulures
dorées, de même que
le linteau et son fronton
à modillons. La serrure et
la poignée en cuivre sont
dotées d'un mécanisme
qui permet d'ouvrir et
de fermer la porte.

POUPÉES ANGLAISES DU XVIIIᵉ SIÈCLE

DANS LA MAISON DE POUPÉES de Nostell Priory, le temps semble s'être définitivement arrêté au milieu du XVIIIᵉ siècle. Les poupées qui peuplent cette demeure portent des costumes d'origine qui nous en apprennent beaucoup sur la mode de cette époque. Les femmes et la petite fille que l'on voit ci-dessous portent en effet des vêtements qui étaient alors d'usage courant. Notez en particulier la robe à motifs rouges, dont les broderies sont parfaitement à l'échelle. Malheureusement, les seuls personnages masculins qui ont subsisté sont un laquais et le cuisinier.

FEMMES (CI-DESSOUS)
Toutes ces poupées ont une tête en cire à chevelure très réaliste. Leurs vêtements (sans doute confectionnés par lady Winn et sa sœur) relèvent d'un travail minutieux, notamment ceux de la plus grande poupée, à robe en soie rouge et vieux rose sur un jupon blanc.

DOMESTIQUES (À DROITE)
Les deux personnages masculins sont en bois peint. Le laquais porte la livrée des Winn, et le cuisinier une tenue blanche.

Bonnet blanc à gland rouge

Cuisinier portant un tablier sur son gilet

Perruque blanche à catogan

Longue veste en toile

Longue veste en feutre jaune brodé d'or

Gilet jaune descendant à mi-cuisses

Main perforée pour tenir la cuillère

Bottines peintes

Coiffe d'intérieur en dentelle, à longues barbes

Broche de corsage

Robe à motifs brodés

Coiffe étroite assortie au tablier

Visage en cire peint

Manchettes bouffantes en dentelle

Coiffe à capuchon en batiste à fronces et dentelles

Manchette à double rabat

Tablier blanc noué sur le devant par-dessus le fichu

Main en cire moulée en position ouverte

Longue robe en coton imprimé

Robe de dessus en mousseline blanche

LA COLLECTION

Nous vous proposons ici une collection exceptionnelle, offrant un panorama très complet de l'univers des maisons de poupées. Vous n'y trouverez pas seulement de prestigieux chefs-d'œuvre des siècles passés, mais aussi des modèles contemporains réalisés en série et quelques spécimens insolites ou exotiques.

• MAISON HOBBIES •
Cette maison de poupées anglaise de la fin des années 1920 a été réalisée d'après les plans conçus par la société Hobbies.

MAISONS DE PRESTIGE

Dans les siècles passés, on désignait sous le nom de « maisons de collectionneurs », des modèles réduits de maisons réalisés sur commande par des artistes et des artisans d'art. Ce chapitre présente certaines de ces réalisations les plus prestigieuses : deux cabinets hollandais et deux maisons allemandes, ainsi que deux modèles du siècle dernier, l'un anglais, l'autre américain. Nous y avons ajouté la récente Maison georgienne, comme exemple de ce que font les spécialistes actuels.

LE DICTIONNAIRE se contente de définir le collectionneur comme « une personne qui collectionne ». Mais le collectionneur lui-même est plus embarrassé quant à la définition de ce qu'on appelle couramment une « maison de poupées ». Certains n'appliquent ce terme qu'à des jouets d'enfants ; d'autres y englobent plus généreusement tout modèle réduit de maison, qu'il s'agisse d'un simple jouet fabriqué en série ou d'un chef-d'œuvre artisanal. Aux XVIIᵉ et XVIIIᵉ siècles, quand les riches collectionneurs hollandais, allemands et anglais commandaient de superbes maisons de poupées, le mot allemand pour désigner celles-ci était *Dockenhaus*, qui peut se traduire par « maison en miniature ». Il n'était alors pas question de laisser des enfants s'amuser avec d'aussi précieux spécimens. Et c'est seulement au XIXᵉ siècle, quand des maisons plus rudimentaires commencèrent à se répandre dans le commerce pour servir véritablement de jouets, que se généralisa l'appellation de « maison de poupées » dans la plupart des pays : *Puppenhaus* en allemand, *dolls' house* en anglais.

LES DÉBUTS

On mentionne des modèles réduits de maisons dans certaines archives allemandes du XVIᵉ siècle. L'une de ces sources révèle que la duchesse Jacoba et son fils, le duc Albert de Bavière, s'intéressaient aux objets miniaturisés : leur collection réunissait poupées, maisons de poupées et mo-

CABINET HOLLANDAIS *Cet exemplaire est l'un des deux superbes cabinets-maisons de poupées de Sara Ploos Van Amstel. Achevé en 1743, ce remarquable témoignage du savoir-faire hollandais est aujourd'hui au Gemeentemuseum de La Haye, aux Pays-Bas.*

MON PLAISIR (À GAUCHE)
Ce cabinet de porcelaines est sans doute une reproduction de celui que la princesse Augusta Dorothée avait fait aménager dans son palais d'Augustenburg.

JARDIN HOLLANDAIS
(CI-DESSUS) Occupant le casier central du bas, dans le cabinet de Sara Ploos Van Amstel (voir page précédente), ce décor donne lieu à de magnifiques effets en trompe l'œil.

dèles divers reproduisant à échelle réduite les villes qui relevaient des possessions ducales. Certains de ces modèles se trouvent aujourd'hui au Musée national de Munich. Malheureusement, l'une des pièces maîtresses de cette collection, le somptueux palais miniature à quatre étages mis en chantier par le duc en 1557, fut détruite par un incendie en 1674 ; on n'en conserve qu'un inventaire détaillé incluant celliers à vin, écuries et remises d'attelages, ainsi qu'une multitude d'accessoires.

PÉDAGOGIE ET PLAISIR

Dès le XVIᵉ siècle, certaines maisons miniatures servaient de jouets éducatifs. En 1512, par exemple, l'Électrice de Saxe offrit à ses trois filles, en cadeau de Noël, une maison de poupées dans laquelle, selon les documents de l'époque, l'accent était mis sur la cuisine et les autres éléments de la vie domestique, plutôt que sur les objets d'art généralement privilégiés par les collectionneurs.

Les maisons de poupées conservèrent cette fonction pédagogique au cours des siècles suivants. De celle qui fut commandée à Nuremberg, en 1631, par Frau Anna Köferlin, il ne reste malheureusement rien, sinon un « mode d'emploi » explicite disant notamment : « Regarde et apprends... la

moindre des choses que tu vois ici est indispensable à toute maison convenablement tenue. »

Mais d'autres maisons de poupées n'avaient pour principale destination que de satisfaire les goûts esthétiques de leurs propriétaires. A cet égard, l'un des exemples les plus caractéristiques est l'extravagant Mon Plaisir de la princesse Augusta Dorothée de Schwarzburg-Arnstadt, une collectionneuse passionnée de meubles, de peintures et de porcelaines. Ce projet l'accapara pendant plus de cinquante ans, épuisant les finances et la patience de son époux, de son entourage et de l'Église. A l'origine, cette représentation miniaturisée de la cour princière de la ville d'Arnstadt et de ses environs devait former un

RAMONEUR
Mon Plaisir évoque dans ses moindres détails la société d'Arnstadt, comme en témoigne ce ramoneur vêtu de cuir et coiffé d'une grande écharpe, qui émerge d'une cheminée, son balai à la main.

vaste dispositif aménagé avec un maximum de réalisme. Ce qu'il en subsiste aujourd'hui est réparti en quatre-vingts présentoirs qui occupent sept galeries du musée d'Arnstadt, en Thuringe.

Cet ensemble réunit plus de quatre cents poupées de cire de 25,5 cm de haut, toutes vêtues de costumes évoquant les différentes catégories de personnes qui vivaient dans le palais et dans la ville : courtisans, marchands et autres, y compris religieuses et mendiants.

DOCUMENTS HISTORIQUES

Inévitablement, toute représentation authentique des modes de vie du passé a valeur de document pour les chercheurs spécialisés. Alors que certains des superbes modèles allemands des XVIIᵉ et XVIIIᵉ siècles furent initialement conçus à des fins éducatives, les cabinets hollandais aménagés à la même époque en maisons de poupées n'avaient pas d'autre but que de présenter « en situation » des collections d'objets miniaturisés. Or, dans un cas comme dans l'autre, les historiens peuvent y puiser une foule d'informations, car les créateurs de ces modèles réduits ont eu à cœur d'y reproduire minutieusement le cadre de vie de leurs contemporains. A cet égard, les deux cabinets de Sara Ploos Van Amstel sont des documents très précieux, d'autant qu'ils sont assortis de nota-

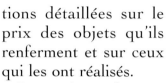

QUEEN MARY'S DOLLS' HOUSE
Une simple photographie ne donne qu'une faible idée de la somptueuse minutie de cette maison de poupées réalisée par les meilleurs artistes et artisans britanniques, et offerte à la reine Mary en 1924. Ce chef-d'œuvre se trouve aujourd'hui au château de Windsor, en Angleterre.

tions détaillées sur le prix des objets qu'ils renferment et sur ceux qui les ont réalisés.

Les maisons de poupées anglaises ont un certain avantage sur les autres, dans la mesure où beaucoup d'entre elles se trouvent encore dans les demeures de leurs propriétaires d'origine, dont elles reproduisent souvent l'aspect extérieur et l'aménagement intérieur. Nostell Priory *(voir pages 12-13)* et Uppark *(voir page 7)* en sont des exemples caractéristiques.

DANS LE MONDE ENTIER

Si, au début, la vogue des maisons de poupées s'est surtout répandue aux Pays-Bas, en Allemagne et en Angleterre, elle n'en a pas moins fait des adeptes ailleurs. L'original cabinet à un étage conservé au musée des Arts décoratifs de Paris, la maison en rez-de-chaussée du Museo d'Arte Industriale de Bologne *(voir ci-dessous)* et les maisons de poupées que l'on trouve dans plusieurs musées de Scandinavie té-

MAISON ITALIENNE
Exposé au Museo d'Arte Industriale de Bologne, ce modèle unique date de la première moitié du XVIIIᵉ siècle. Les pièces sont à décor peint et doré sous plafonds ornés de fresques.

moignent de l'universalité de cet engouement.

En Asie, le penchant des Japonais pour la miniaturisation s'est également manifesté dans ce domaine. Certaines familles se transmettent de génération en génération de superbes modèles réduits de maisons réalisés à l'occasion du Festival annuel des poupées. Et l'on trouve également dans ce pays de charmantes maisons en réduction que l'on peut collectionner, bien qu'il ne s'agisse pas de véritables maisons de poupées.

Heureusement, cette tradition séculaire des maisons de poupées demeure bien vivante aujourd'hui, où elle inspire encore de talentueux créateurs. C'est pourquoi nous avons inclus dans ce chapitre une pièce de collection réalisée au XXᵉ siècle. Il s'agit d'une maison de style georgien *(voir pages 48-51)*, conçue, montée et meublée par John Hodgson et une équipe d'artisans britanniques spécialistes de la miniaturisation.

DES PIONNIÈRES

Il y a moins d'une quarantaine d'années, deux femmes, Flora Gill Jacobs aux États-Unis et Vivien Greene en Angleterre, furent les premières à faire le bilan de leurs connaissances en matière de maisons de poupées, dans des livres qui font désormais autorité. Leurs ouvrages

et les musées qu'elles ont fondés — l'un se trouvant à Washington et l'autre à Oxford — ont incité d'autres collectionneurs à effectuer des recherches sur les maisons de poupées, ainsi qu'à œuvrer pour la sauvegarde et la restauration de ces merveilleux modèles réduits qui fascinent tant de personnes de tous les âges dans le monde entier.

INTÉRIEUR
(CI-DESSOUS)
La véritable résidence Vanderbilt comporte davantage de pièces, mais l'essentiel de sa structure intérieure est respecté.

MAISON VANDERBILT
(CI-DESSOUS) Paul Cumbie a réalisé ce modèle réduit vers 1883, d'après la véritable résidence des Vanderbilt, située à New York, dans la 5ᵉ Avenue.

MAISON STROMER

— Allemagne du Sud – 1639 —

C ETTE FASCINANTE MAISON, qui présente un extraordinaire inventaire de l'intérieur d'une demeure de notable allemand du XVIIe siècle, fut offerte en 1879 au Germanisches National Museum par le baron von Stromer, d'où son nom (on ignore celui du propriétaire d'origine).

Les pièces sont réparties, de façon plus judicieuse que réaliste, dans une structure ouverte dont les parois latérales sont peintes pour représenter des murs avec des fenêtres à vitres en culs de bouteilles. L'échelle intérieure varie, celle des pièces du bas étant plus réduite que les autres. De même, les pièces du bas, contrairement à celles du haut, sont aménagées dans des casiers amovibles.

Cheminée en bois sur l'arrière du toit — *Fenêtre mansardée, avec une poulie* — *Pignon décoratif*

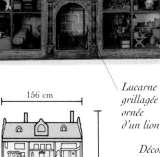

FAÇADE

Il n'y a pas de façade, mais le toit (amovible) présente tous ses éléments traditionnels, y compris une fenêtre mansardée, avec l'inscription « 1639 ».

PORTE D'ENTRÉE

(CI-DESSOUS)
Les deux battants sont décorés d'une perspective en trompe l'œil.

Lucarne grillagée ornée d'un lion

Décor figurant une salle à arcades et sol carrelé

156 cm

235 cm

Structure en bois répartie en 15 compartiments

Papier mural imitant le bois

Lit de plumes à gros édredon

Chemise de nuit posée sur le lit

Plat à barbe

Lambris contournant l'emplacement du poêle

Balustrade en bordure de la chambre

Corbeilles à provisions dans la resserre

SECOND ÉTAGE
La chambre *(à gauche)*
et la salle de réception
(à droite) sont chacune
équipées d'un poêle
en faïence. La pièce
centrale est ornée
d'une frise décorative
et d'un plafond peint.
L'ensemble comporte
plusieurs tableaux,
tous suspendus à ras
du plafond.

Hotte de cheminée faisant
office de chauffe-plats

PREMIER ÉTAGE
La chambre lambrissée
(à gauche) est chauffée
par un joli poêle en
faïence. Au centre,
sous l'escalier, trône
une imposante armoire
à linge. Dans la cuisine
(à droite) sont présentés
d'innombrables plats
et ustensiles, et de
la vaisselle en étain.

Garde-manger
à porte décorée

Berceau
à roulettes

REZ-DE-CHAUSSÉE
De chaque côté du hall
d'entrée (où est posée
une cage à volaille) se
répartissent quatre
petites pièces. *A gauche :*
écurie et cellier à vin,
resserre et chambre de
domestique. *A droite :*
bureau/magasin et
buanderie, chambres
d'enfants.

Assortiment
de bacs à lessive

OPULENCE GERMANIQUE

LA MAISON STROMER regorge de tout ce qui était considéré comme nécessaire au bien-être d'une riche famille allemande du XVIIe siècle, avec notamment une profusion de linge et d'ustensiles divers. Très intéressante également, la décoration fait une large place aux tableaux, peintures murales et effets en trompe l'œil. L'ensemble est tellement vivant que l'on est presque surpris de n'y voir aucun être humain.

BERCEAU *(À DROITE)*
C'est un système simple et ingénieux qui permet d'imprimer un balancement à ce berceau suspendu à deux colonnes montées sur un coffre à tiroirs en bois décoré d'appliques.

Drap de protection en batiste brodé

Colonne de support fixée au coffre

Tiroir pour le linge du bébé

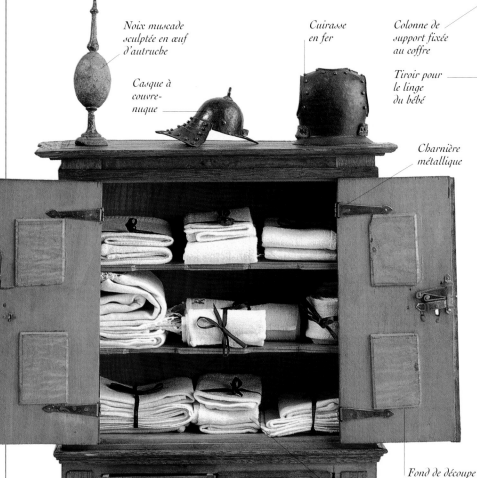

Noix muscade sculptée en œuf d'autruche

Casque à couvre-nuque

Cuirasse en fer

Charnière métallique

Fond de découpe

Pile de linge nouée avec un ruban

Corbeille ornée de perles

Fontaine en métal

Petite clochette

Brosse à habits à manche de bois

Supports de la fontaine

Éponge de toilette

Cuvette sur un socle arrondi

Bassinoire sur son support

Brosse décorative

Porte de placard

ARMOIRE À LINGE
(CI-DESSUS) En Allemagne, les armoires à linge, signes extérieurs de richesse, étaient très souvent placées dans les pièces de passage (comme celle-ci) ou celles de réception.

TOILETTE *(À DROITE)*
Une fontaine en métal (posée maintenant, la tête en bas, sur le sommet du meuble) était initialement accrochée au-dessus de la cuvette, entre les deux placards.

Motifs
stylisés
au plafond

Guirlande
de fruits et
de fleurs

Peinture
allégorique
sur le thème
des Vertus

Fausses
fenêtres à
vitres en culs
de bouteilles

Oiseau
dans une
cage

Mêmes
moulures
que dans
les autres
pièces

Porte à
colonnes

Porte
palière à
fronton
ouvragé

UN RICHE DÉCOR (CI-DESSUS)

La pièce centrale du second étage
s'orne d'un superbe plafond peint
auquel s'ajoutent des tableaux
et des peintures murales en
trompe l'œil.

Cordes
fixées à des
chevilles

Caisse à
panneaux
moulurés

Clavier
à touches
blanches
et noires

Fleurs très
bien imitées

Minuscule
service de
porcelaine

Véritable livre relié
en cuir

Bougeoir
en étain

Gobelet à vin
typiquement
allemand

Cuillère à manche
en os sur un plat
en métal ouvragé

Couteaux à lame
de fer

Table fixée
sur un socle

Broderies en fils
d'or

VIRGINAL (CI-DESSUS)

Cet instrument à cordes
(sorte d'épinette) fut très
à la mode aux XVIᵉ et
XVIIᵉ siècles. Celui-ci est
à un seul octave, avec
des touches et cordes
correctement placées.

SERVICE DE TABLE (À GAUCHE)

Bizarrement, cette table est placée
dans l'une des chambres. Sur une
nappe en soie bleue sont notamment
disposés d'élégants couverts, dont
certains à manche en os, et un service
en fine porcelaine blanc et bleu.

OBJETS UTILITAIRES

CETTE MAISON ALLEMANDE doit une grande partie de son charme au fait que l'on y accorde la primauté aux objets utilitaires de la vie quotidienne plutôt qu'à des collections purement décoratives — comme c'est généralement le cas dans les modèles hollandais et anglais. Par exemple, la panoplie très complète des ustensiles de cuisine est particulièrement remarquable par sa minutieuse précision.

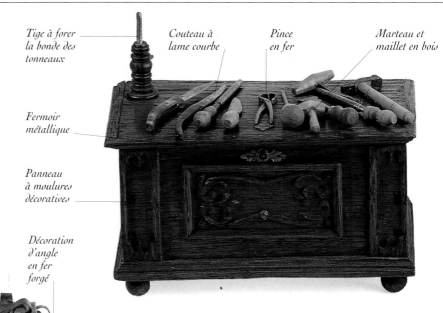

Tige à forer la bonde des tonneaux

Couteau à lame courbe

Pince en fer

Marteau et maillet en bois

Fermoir métallique

Panneau à moulures décoratives

Fermoir assorti aux ferrures décoratives

Panneau à décor floral

Décoration d'angle en fer forgé

Carton à chapeau en bois

Pied en métal doré

COFFRE À OUTILS
(CI-DESSUS) Tous ces outils sont remarquablement exécutés : la pince, par exemple, est réellement articulée.

CHAISE DE BÉBÉ
(CI-DESSOUS)
Le dossier de la chaise est à décor ouvragé et le plateau qui repose sur les accoudoirs est amovible.

RANGEMENTS (CI-DESSUS)
Des coffres et coffrets décoratifs de toutes formes sont omniprésents dans la maison.

TROTTEUR
(À DROITE) Ce très ingénieux système permet à un petit enfant de se déplacer sans tomber ni se cogner.

Montants et supports en bois tourné

BUREAU (CI-DESSOUS)
Ce meuble très simple servait à peser, à faire des inventaires... et à boire un verre à la conclusion d'un marché.

Chope à vin

Chandelier en bois tourné

Poids en cuivre

Roulettes pivotantes

Chaise de bébé posée sur le sol

Pelote échantillon

Ardoise à cadre en bois

LIVRES DE COMPTES
(CI-DESSOUS) Il s'agit de vrais livres, avec des feuilles en papier et une reliure en cuir.

Tabouret à pieds en bois tourné

Charnière métallique

Couverture en cuir repoussé, avec la date « 1640 »

Repères des pages

Registre en cuir daté de 1640

Panier accroché
au mur

Assiettes
en étain

Chopes sur
une étagère

Corbeille
de légumes

Console en
bois peint

Chevaux
d'attelage en
bois peint

Vache dans
une stalle
à part

Simple
badigeon blanc

Tête de lit
à fronton
décoratif

Édredon
et oreillers
à housse
en toile

Séchoir
à serviettes

Coffret de jeu
d'échecs

Faux
carrelage
peint

Baquet
en bois

Sac en toile
de jute

Faux
carrelage

Auges
en bois

PANIER À PAIN (CI-DESSOUS)
Corbeilles et paniers
servaient à ranger et
à transporter toutes sortes
de choses dans la maison.

**RESSERRE, CHAMBRE,
ÉCURIE ET CELLIER** (CI-
DESSUS) Ces pièces relèvent
de l'organisation pratique
d'une maison bourgeoise.
La chambre est celle d'un
domestique.

Tonneaux
de bière et
de vin

Corbeille
remplie de
pains et de
pâtisseries
« maison »

VACHE EN BOIS
(À DROITE) Comme
les chevaux, cette vache
est sculptée et peinte avec
un remarquable respect
des détails anatomiques.

Vache pour assurer
l'approvisionnement
en lait de la maison

CABINET HOLLANDAIS

Petronella de la Court — 1670-1690

L E SOMPTUEUX CABINET-MAISON de poupées de Petronella de la Court est l'un des plus anciens des Pays-Bas. Il a subi quelques légers remaniements au XVIIe siècle, et certaines pièces d'argenterie ont été remplacées au XIXe siècle, à la suite d'un vol. Pour le reste, le précieux inventaire dressé en 1758 garantit que l'ensemble a été conservé dans son état d'origine, en nous offrant un aperçu très détaillé de la demeure et du style de vie d'un riche commerçant de la fin du XVIIe siècle.

Petronella de la Court avait réuni de nombreuses collections de peintures, gravures, porcelaines et pierres précieuses. Mais elle est surtout connue pour ce cabinet, commandé en 1670 et achevé vingt ans plus tard.

Bocaux en bois
sur une étagère

Servante tenant un
panier de gibier

Paroi à claire-
voie

Lustre
en cristal
à neuf
bougeoirs

Tableau
couvrant
tout le
mur

Assiette
en faïence
de Delft

Petite entrée sous
le bureau

207 cm

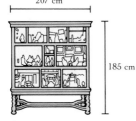

185 cm

*Cabinet en bois d'olivier
sur pieds torsadés*

CABINET
Ce cabinet en bois d'olivier est partagé en onze compartiments sur les trois niveaux, incluant un petit jardin. Ses parois sont ornées de veinures verticales et diagonales.

Chambre
luxueusement
meublée

Rideaux et
tapisserie
en brocart

Poupée de cire
à robe de
brocart

Servante à
la lessive

Servante
au repassage

Séchoir
à linge

Inventaire du
linge de maison

SECOND ÉTAGE
A gauche, une
petite resserre
et une chambre
de domestique
se trouvent
juste derrière
la cloison. Puis
viennent ensuite
deux chambres,
et une lingerie.

PREMIER ÉTAGE
Cet étage
comprend deux
très belles salles
de réception,
sises de part et
d'autre d'une
entrée située
sous un petit
bureau.

**REZ-DE-
CHAUSSÉE**
Les portes
de la cuisine
(à gauche)
s'ouvrent sur
un cellier et
une resserre.
La chambre
(au centre) et
le jardin (à droite)
sont ornementés
d'objets en ivoire
d'un travail
très délicat.

OBJETS D'ART

LES COLLECTIONNEURS HOLLANDAIS des XVIIᵉ et XVIIIᵉ siècles faisaient de leurs cabinets-maisons de poupées de superbes présentoirs associant de multiples objets d'art en miniature. Comme ils avaient à la fois de la fortune et du goût, leurs collections faisaient appel à des matériaux coûteux, tels qu'or, argent et ivoire, beaucoup moins courants dans les meubles équivalents des autres pays. Ce cabinet renferme plus de 1600 bibelots.

CONFORT *(À DROITE)*
Ce beau fauteuil garni de brocart fait partie d'un ensemble. A ses pieds est placée une chaufferette percée de trous pour la diffusion de la chaleur.

Accoudoirs et piètement torsadés

Garniture à glands

Personnage biblique en ivoire

Cadre à moulures dorées

Porte à charnière pouvant s'ouvrir

Œuvre miniature réalisée sur commande

Ivoire finement sculpté

Chaufferette en citronnier imitant la terre cuite

Signature du peintre derrière le tableau

PAYSAGE *(CI-DESSUS)* Tant pour des œuvres de format normal que pour des toiles miniatures, Petronella de la Court fit appel à de célèbres peintres hollandais. Ce beau paysage à cadre doré est signé Herman Saftleven et daté de 1678.

ARMOIRE À LINGE *(À DROITE)*
Les Hollandais poussaient très loin le goût des « trésors cachés ». Derrière ses portes ornées de sculpures en ivoire, ce meuble miniature renferme un splendide trousseau de linge et de cols de dentelles.

Meuble rempli de linge et de dentelles

Statue d'ivoire représentant la Foi

Statue d'ivoire représentant l'Espérance

Pieds torsadés

BUREAU *(CI-DESSOUS)*
Beaucoup de commerçants hollandais du XVIIᵉ siècle avaient chez eux une pièce comme celle-ci, qui faisait alors office de bureau. Son occupant est vêtu d'une confortable robe de chambre et chaussé de pantoufles. La porte donne sur une autre pièce meublée d'un canapé.

OBJETS USUELS *(CI-DESSOUS)*
Dans le bric-à-brac de la resserre, on trouve notamment une paire de patins en bois, un piège à rats et un rouet à garnitures d'ivoire.

Piège à rats en bois et métal

Fuseau en ivoire

Rouet en bois

Patins en bois, avec des lacets

Lettre adressée à Heer Constantius Popperyus de Pouperys in't Poppe Huis

Pièce de repos meublée d'un canapé

Étagères de livres de comptes

HORLOGE *(CI-DESSOUS)*
Le corps de cette superbe horloge est en écaille, avec des garnitures en métal doré. Le mécanisme est en état de fonctionnement.

Panneau mobile fermé à clé

Chaussures d'extérieur en cuir

Robe de chambre en brocart de soie

Pantoufle à talon

Table avec écritoire

Cave à boissons, avec des bouteilles en verre

Livres illustrés, à reliure en cuir

GLOBE TERRESTRE
(À DROITE) Ce globe, à la cartographie détaillée, repose sur un pied en ébène, avec un cercle horizontal en ivoire et un cercle longitudinal en cuivre.

Cartes au tracé minutieux

Anneau longitudinal en cuivre

Socle en marbre pour équilibrer l'horloge

TRAVAIL ET AGRÉMENT

POUR AVOIR UNE VOCATION essentiellement artistique, les maisons de poupées hollandaises n'en font pas moins la part belle aux objets utilitaires de l'organisation domestique. Leur contenu miniaturisé constitue une précieuse source d'informations très fiables sur tout ce qui était le cadre de vie des XVIIe et XVIIIe siècles, qu'il s'agisse de la cuisine ou de la buanderie, du salon ou du jardin.

JARDIN (CI-DESSOUS)

Ce jardin à plan symétrique associe de belles cultures utilitaires (arbres fruitiers palissés ou en bacs), des plantes d'agrément (fleurs en parterres ou en pots) et des objets d'art, avec ces statuettes finement sculptées en ivoire.

BUANDERIE (CI-DESSOUS)

On y trouve notamment une presse à linge, un plateau garni de linge lavé, des fers à repasser et même une tapette à souris.

Bonnet de nuit en laine

Linge plié

Plateau en bois

Poignée de serrage pour presser le linge

Épaisse plaque de bois reliée au pas de vis

Tablette à tréteaux

Pieds à entretoises

Minces plaques de bois intercalaires

Petit fer à linge délicat sur son support chauffant

Gros fer pour le linge de maison

Tapette à souris en bois et métal

Arbres fruitiers le long des murs

Ravissantes statuettes en ivoire représentant les quatre saisons

Tonnelle en ivoire

Gros fer pour le linge de maison

Peintures murales évoquant le ciel

Paon peint sur le mur

Buisson de roses en papier dans un pot en « terre cuite »

Petite brouette apportant une note réaliste

Jeu de quilles en ivoire, de style XVIIe siècle

Arbre fruitier dans une urne en ivoire sculpté

POUPÉES DE CIRE HOLLANDAISES

TOUS LES PERSONNAGES qui figurent dans cette maison de poupées ont le bas des bras et la tête en cire, avec un visage délicatement moulé et peint. Si les membres sont en rembourrage sur du fil de fer et peuvent donc être disposés dans différentes attitudes, le corps, en revanche, est rigide, ce qui explique la raideur des poupées présentées sur un siège. Le paysan que l'on voit ici a un double identique dans une autre maison de poupées (au Rijksmuseum d'Amsterdam) ; aussi peut-on supposer que certaines des poupées n'ont pas été réalisées sur commande, mais achetées toutes faites.

DOMESTIQUES *(À GAUCHE)* Comme les domestiques de cette maison portent le costume du Vasterland, il est possible que la famille de la Court soit originaire de cette région.

FAMILLE *(CI-DESSOUS)* Ces vêtements, de style français, étaient très à la mode en Hollande à la fin du XVIIe siècle. Avec leurs parements de dentelle, ils sont d'un travail très soigné.

Bonne d'enfants en costume régional

Expression très vivante du visage

Costume de paysan hollandais du Vasterland

Laisse pour guider les pas des petits enfants

Culottes bouffantes

Costume d'adulte à la taille de l'enfant

Coiffure du type « fontange »

Visage pouvant représenter un personnage connu

Ample perruque bouclée

Longue veste à parements et boutons dorés

Coiffe à barbes de dentelles encadrant le visage

Jabot de dentelle

Violon miniature

Tablier en dentelle

Pupitre à pied torsadé

Robe d'apparat fin XVIIe

MAISON-ARMOIRE

— Allemagne – seconde moitié du XVIIᵉ siècle —

SI LES MEUBLES-MAISONS DE POUPÉES furent surtout une spécialité hollandaise, certains ont également été réalisés en Allemagne à la même époque. Mais, dans ce dernier pays, il s'agit le plus souvent d'armoires et non de cabinets, une différence qui n'est pas liée au contenu, mais à la nature du contenant : le cabinet est généralement une élégante pièce d'ébénisterie, alors que l'armoire est plutôt un meuble simple et fonctionnel. Dans l'exemple qui est présenté ici, l'aspect rudimentaire de cette armoire allemande contraste avec la délicatesse et la minutie de tout ce que renferment ces deux pièces superposées : un salon-chambre à coucher et une cuisine.

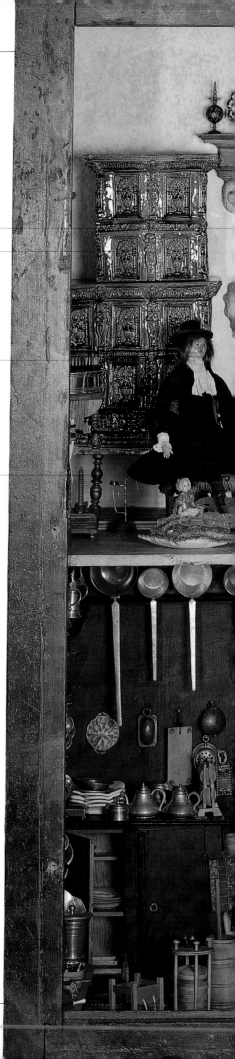

Haut lambris à bordures moulurées

Carreaux de faïence abondamment décorés

Console de toilette à cuvette semi-circulaire

Piètement du poêle en bois tourné

Panneaux pleins en bois verni

Assiettes creuses en étain

Petites chopes en étain

Plat de service

Étagères sur tout le mur latéral

Chope à couvercle en étain

FAÇADE
Cette armoire sans porte n'est ornée, en haut, que d'une discrète corniche et de moulures très simples sur le tiroir du bas.

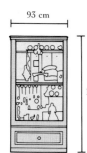

93 cm

173 cm

Armoire en bois verni, à deux compartiments et un tiroir

Ustensiles divers sur une tablette basse

ASSORTIMENT D'ÉTAINS *(CI-DESSUS)*
La qualité tout à fait exceptionnelle de cette vaisselle et de ces ustensiles de cuisine témoigne de l'habileté des artisans de Nuremberg.

PIÈCE DU HAUT

A l'exception de l'entourage immédiat du poêle, les murs sont lambrissés. La pièce est très abondamment meublée, avec un petit buffet, une table, un meuble de toilette, un placard et un lit d'angle. Un joli lustre en cuivre est suspendu au plafond.

Plats en faïence de Nuremberg

Papier peint derrière le poêle

Cage avec un oiseau en plumes

Mouchettes à chandelles

Poêle reposant sur des pieds en bois

Hotte faisant office de chauffe-plats

Broches à rôtir

Poupée en costume régional

POÊLE EN FAÏENCE *(CI-DESSUS)*

Peu de maisons de poupées présentent un poêle aussi beau que celui-ci, avec son entourage en carreaux de faïence vernissés et ouvragés. Les pieds en bois reposent sur un socle en « carrelage » peint en rouge et blanc.

PIÈCE DU BAS

Avec son assortiment de multiples objets en bois et en étain, cette charmante cuisine miniature est l'une des plus complètes de l'époque. La rôtissoire mécanique (datée de 1550), les poêles à long manche et tous les ustensiles que l'on voit ici sont une précieuse source de renseignements pour quiconque s'intéresse à la vie domestique du passé.

GERMANISCHES NATIONAL MUSEUM, NUREMBERG

ARTISANAT MINUTIEUX

ICI, LES OBJETS LES PLUS PETITS sont ceux qui ont été réalisés avec le plus de soin : le matériel de dentelière, par exemple, est d'une extrême minutie. Les plus grosses pièces d'ameublement, en revanche, sont d'un travail plus rudimentaire : pas de bois fruitiers ou exotiques, ni de fines sculptures, mais du sapin et une ornementation très simple. Comme dans la Maison Stromer (*voir pages 18-23*), nous avons affaire à une demeure bourgeoise où l'utilitaire prévaut largement sur le décorum.

Aigle bicéphale

PLACARD (*À DROITE*)
La sobre décoration de ce meuble est identique à celle du lit et s'harmonise avec l'extrême simplicité des lambris.

LUSTRE (*CI-DESSUS*)
Les lustres en cuivre de ce type sont assez courants dans les maisons de poupées des XVIIᵉ et XVIIIᵉ siècles. Mais rares sont ceux qui sont ornés, comme celui-ci, d'une aigle impériale à deux têtes.

LIT EN BOIS
(*À DROITE*)
A une époque où les moyens de chauffage étaient assez précaires et dans des pays à climat très rigoureux, cet empilement de matelas et d'édredons en duvet était la seule garantie de pouvoir dormir dans une confortable chaleur.

Fronton à moulure ouvragée
Bougeoir en cuivre
Gants en chevreau sur un coffret
Dé à coudre (surdimensionné)
Livre suspendu à un crochet du placard
Serrure et poignée en métal
Moulures assorties à celles du lit
Repose-tête assorti à l'oreiller
Tête de lit à fronton sculpté
Drap en toile à glands décoratifs
Édredon de dessus, à housse en toile
Premier édredon en duvet
Matelas en duvet
Paillasse d'isolation posée sur le sommier
Bassinoire en métal
Minuscules pantoufles en chevreau

TOURNEBROCHE
(À DROITE)
Avec son système
à engrenage en état
de fonctionnement, c'est
l'un des modèles les plus
perfectionnés parmi ceux
des maisons de poupées
du XVIIe siècle.

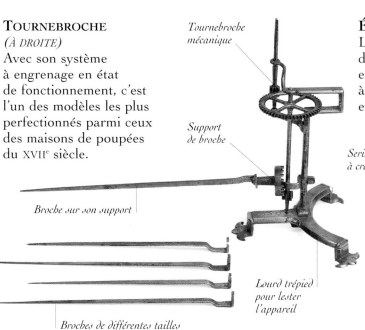

*Tournebroche
mécanique*

*Support
de broche*

Broche sur son support

*Lourd trépied
pour lester
l'appareil*

Broches de différentes tailles

ÉTAINS *(CI-DESSOUS)*
La cuisine renferme
de très nombreux objets
en étain, comme ce seau
à couvercle, cette théière
et cette seringue.

*Seau à dosseret
ouvragé*

*Théière en étain
à anse isolée*

*Seringue
à crème*

TRAVAIL DE LA DENTELLE
(À GAUCHE) La fabrication
de la dentelle, à l'aiguille ou
au fuseau, était une activité
domestique très courante au
XVIIe siècle. Le matériel que
l'on voit ici est miniaturisé
avec beaucoup de soin
et de précision.

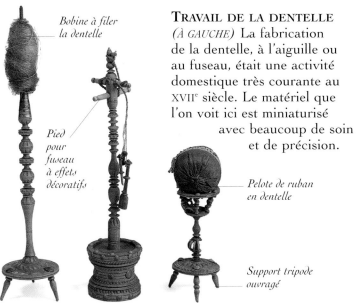

*Bobine à filer
la dentelle*

*Pied
pour
fuseau
à effets
décoratifs*

*Pelote de ruban
en dentelle*

*Support tripode
ouvragé*

TRAVAIL DU BOIS
(CI-DESSOUS)
Au XVIIe siècle, beaucoup
d'objets usuels en bois étaient
fabriqués à la maison.

*Porte-écuelles
en bois*

*Hachette
de boucher
à manche
de bois*

*Billot
à pieds
en bois
tourné*

*Écuelles
en bois
d'érable*

POUPÉE À TÊTE DE CIRE
COMME LES DEUX AUTRES OCCUPANTS de la maison (une femme et un petit enfant), celui-ci a
le corps en chiffon, la tête et les mains en cire,
et une perruque. Il porte une longue redingote à jabot sur une chemise à manchettes ornées de garnitures en dentelle.

*Chapeau
en feutre noir*

*Visage
en cire
(détérioré)*

*Jabot à frange
de dentelle*

*Redingote
à bordures
galonnées*

*Manche
à ample
parement*

*Chaussures
à languette
en chevreau*

*Manchettes
de chemise
à dentelles*

MAISON-CABINET

Sara Ploos Van Amstel – vers 1730-1750

S ARA ROTHE ÉPOUSA en 1721 Jacob Ploos Van Amstel, un commerçant riche et cultivé, dont elle ne semble pas avoir eu d'enfants. Ils avaient deux demeures : l'une à Amsterdam, l'autre à Haarlem. Sara Ploos Van Amstel, qui pouvait consacrer du temps et de l'argent à ses collections, entreprit de faire réaliser une minutieuse reconstitution de son cadre de vie en deux superbes cabinets-maisons de poupées. L'un de ces meubles, en noyer, se trouve au Gemeentemuseum de La Haye. L'autre, qui est présenté ici, est actuellement en cours de restauration au Frans Hals Museum de Haarlem.

FAÇADE
La façade de la maison elle-même, avec ses quatorze fenêtres vitrées, n'apparaît que lorsque les deux portes peintes du cabinet sont ouvertes.

Imposte à monogramme des Van Amstel

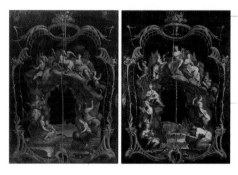

PORTES *(CI-DESSUS)*
Les magnifiques portes extérieures de ce cabinet sont ornées de scènes d'inspiration mythologique.

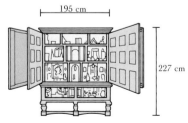

— 195 cm —

227 cm

Cabinet en bois à double porte et socle à mécanisme élévateur

Porte en chêne peinte

Scène représentant Apollon et les Muses

Décoration en harmonie avec celle des portes

Manivelle du mécanisme à crémaillère

VUE DE CÔTÉ
On voit ici, de haut en bas, un panneau latéral décoré, la partie du sous-sol et le mécanisme permettant de surélever la maison à hauteur de vue.

Miroir à cadre doré

Lit clos à rideaux

Casier à bordure dorée

Vitres miroitantes reflétant la lumière

Cheminée en faux marbre

Portrait à cadre doré

Collection d'argenterie

Cafetière en argent réalisée par Cornelius Coutrier

Compartiment à part pour le sous-sol

Cuisine meublée avec simplicité

*Presse-linge
garni de draps*

*Paravent japonais
imprimé à Augsbourg*

*Lit-pavillon
à draperies vertes*

*Meuble à étagères
garnies de livres*

FRANS HALS MUSEUM,
HAARLEM

SECOND ÉTAGE
Une chambre
d'enfants à décor
turquoise *(à gauche)*,
une buanderie
séparée d'une pièce
d'étendage par
une cloison à claire-
voie *(au centre)* et
une autre chambre
(à droite) sont sur
cet étage.

*Porcelaine hollandaise
traitée dans le style
oriental*

PREMIER ÉTAGE
De gauche à
droite : un élégant
salon de musique,
une antichambre
à panneaux bleus
s'ouvrant sur une
salle de réception
et une chambre
d'accouchée.

REZ-DE-CHAUSSÉE
Un vestibule orné
d'un lustre à
lanterne sépare
un sompteux
salon (avec
une riche collection
d'argenterie)
d'un bureau
surchargé de livres
et d'instruments
médicaux.

*Collection de bibelots
dans un placard
vernissé*

SOUS-SOL
On peut voir ici
une grande cuisine
à l'aménagement
très fonctionnel *(à
gauche)* et la salle
à manger
(à droite).

RÉALISME EN MINIATURE

SARA PLOOS VAN AMSTEL tenait un inventaire minutieux de tout ce qu'elle achetait, avec la date, le nom des fournisseurs et souvent le prix. Avec les innombrables objets miniaturisés qu'elle renferme, cette maison de poupées est un véritable rêve de collectionneur. On y trouve notamment une remarquable collection d'argenterie, dont la plupart des pièces ont été commandées à des orfèvres renommés, tels que Arnoldus Van Geffen et Jan Borduur.

CLAVICORDE *(À DROITE)*
La musique faisait partie des loisirs à la mode dans toutes les familles aisées, qui comptaient souvent d'excellents musiciens amateurs. Cet instrument à cordes frappées fut ensuite remplacé par le piano.

Cordes et chevilles

Touches en ivoire et en ébène

Clavicorde de style XVIIIᵉ, à pieds en cabriole

TABLE DE JEU *(À DROITE)*
Sara Ploos Van Amstel broda elle-même ce dessus de table, en fils de soie sur satin, avec bordure en galons de passementerie.

Table à plateau pliable

Dessus de table brodé à la main

Piètement tripode

ARMOIRE À LINGE
(CI-DESSOUS) Ce meuble est la reproduction en miniature du premier cabinet-maison de poupées de Sara Ploos Van Amstel (aujourd'hui au musée de La Haye).

DÉCOR PEINT
(À DROITE) Les éléments décoratifs peints en rouge et or ne sont pas d'origine : ils ont été ajoutés au XIXᵉ siècle.

Corniche à moulure dorée

Vase en porcelaine

Un casier pour chaque type de linge

Motif floral attribué à Jurriaan Buttner

Armoire en noyer à fines veinures

Ferrure en métal doré

Décor rouge et or ajouté au XIXᵉ siècle

Tiroir garni de linge et de dentelles

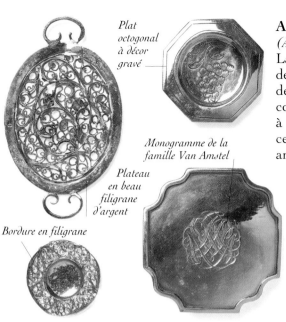

Plat octogonal à décor gravé

Monogramme de la famille Van Amstel

Plateau en beau filigrane d'argent

Bordure en filigrane

ARGENTERIE
(*À GAUCHE*)
La plupart des pièces de cette collection datent de la fin du XVIIIᵉ siècle, comme les deux plats à filigrane, cependant certaines sont plus anciennes.

CABINET (*À DROITE*)
Les tiroirs de ce meuble en ébène, qui date de la fin du XVIIᵉ siècle, renferment une très belle collection de coraux et de minuscules coquillages.

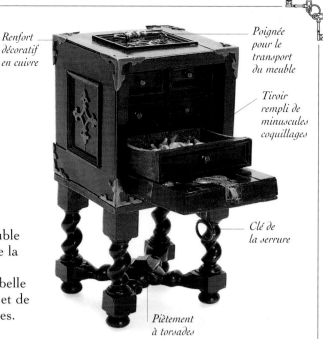

Renfort décoratif en cuivre

Poignée pour le transport du meuble

Tiroir rempli de minuscules coquillages

Clé de la serrure

Piètement à torsades

POUPÉES DU XVIIIᵉ SIÈCLE

LA PETITE FILLE, la domestique et l'homme affalé sur sa chaise ont une tête en cire moulée et peinte avec réalisme. Leur costume correspond à ce que l'on portait au milieu du XVIIIᵉ siècle. Selon les inventaires de Sara Ploos Van Amstel, celle-ci habilla elle-même, avec sa cousine Nicht Hoogehuyse, quelques-unes des poupées de cette maison. La plupart des costumes, toutefois, ont été achetés, puis remaniés par un Français nommé Jac Castang. La tenue de la domestique est une version simplifiée de ce que portaient les dames de l'époque. Le maître de maison, quant à lui, semble se soucier davantage de confort que d'élégance, si l'on en juge par son épaisse robe de chambre, son bonnet en laine tricotée et ses grosses chaussures.

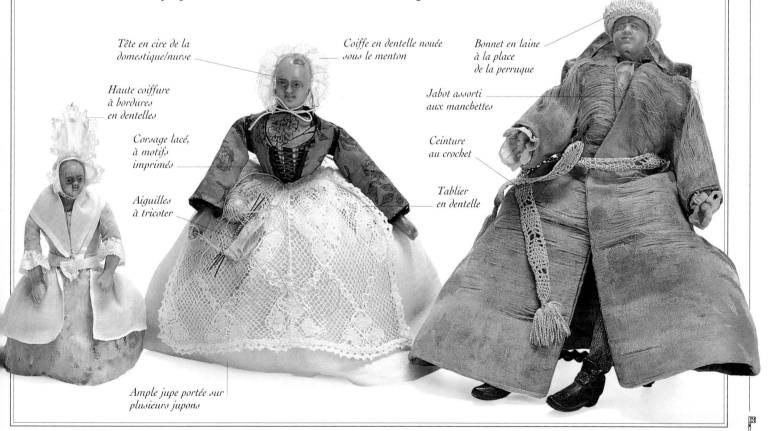

Tête en cire de la domestique/nurse

Coiffe en dentelle nouée sous le menton

Bonnet en laine à la place de la perruque

Haute coiffure à bordures en dentelles

Jabot assorti aux manchettes

Corsage lacé, à motifs imprimés

Ceinture au crochet

Aiguilles à tricoter

Tablier en dentelle

Ample jupe portée sur plusieurs jupons

ARMOIRE VICTORIENNE

Angleterre – v. 1860-1870, avec des ajouts postérieurs

A PARTIR DU XVIIᵉ SIÈCLE, l'usage se répandit d'utiliser certains meubles pour y présenter en miniature — le plus fidèlement possible — le style et le cadre de vie de l'époque. Dans ce domaine, les Hollandais ont été particulièrement productifs, avec la réalisation de superbes cabinets tels que celui de Sara Ploos Van Amstel (*voir pages 34-37*).

Les Anglais ont toujours préféré les véritables maisons de poupées reproduisant à la fois l'architecture extérieure et l'aménagement intérieur, mais il y a cependant des exceptions. Tel est le cas de cette très belle armoire victorienne, dont l'aspect extérieur ne laisse en rien soupçonner qu'elle puisse renfermer la reproduction en modèle réduit de l'intérieur d'une maison jusque dans ses moindres détails.

Panneau
central
encadré par
une baguette

Poignée
en bois
et serrure
en laiton

Socle
à moulure
très simple

123 cm

115 cm

*Acajou veiné, portes à charnières,
intérieur à compartiments*

Papier mural
d'origine

Cloches
à plats
en métal

Lampe
à pétrole
suspendue
au mur

Tête de
la cuisinière
en porcelaine

Chien
en métal
peint

FAÇADE
Les seuls ornements de cette armoire en acajou, d'une sobre élégance, sont le panneau encadré par une baguette qui occupe le centre de chaque porte et les moulures d'angle de la corniche.

ÉTAGE

A l'étage, des portes font communiquer le hall central avec un petit salon *(à gauche)* et une chambre à coucher *(à droite)* qu'agrémentent des lustres en métal finement travaillés. Chacune de ces pièces comporte une fausse fenêtre ornée d'un paysage en trompe l'œil. L'ensemble du décor est caractéristique du début de la période victorienne, tant par son ameublement que par le costume des personnages.

La reine Victoria et sa famille, œuvre de Winterhalter

Chaufferette posée au pied du lit

Tapis formé par un fragment de châle

Crochets pour suspendre un tableau

Lampes à pétrole formant lustre

Horloge et chevaux en métal

REZ-DE-CHAUSSÉE

La salle à manger *(à droite)* et la cuisine *(à gauche)* sont séparées par un hall d'entrée qu'éclaire une lanterne à monture en laiton et d'où part l'escalier d'accès à l'étage. La cuisine est bien équipée, avec notamment des ustensiles en cuivre et un dressoir garni de vaisselle en porcelaine. Dans la salle à manger, le couvert est mis pour le petit déjeuner ; au fond, à droite, on voit aussi une bibliothèque remplie de livres.

STYLE VICTORIEN

Si CERTAINS DES ÉLÉMENTS de cette armoire sont d'origine, notamment les parties fixes et le papier mural, d'autres sont plus récents. Quelques pièces, comme le lit du premier étage et les systèmes d'accrochage des tableaux, ont été réalisés par les actuels propriétaires avec des matériaux de récupération. Beaucoup d'objets, tels que la toilette d'Evans & Cartwright et les meubles (à l'exception du lit) datent de diverses périodes du XIXe siècle.

MEUBLE D'ENTRÉE

(CI-DESSOUS)
Sur l'étagère du haut, un ours en bois, qui fait office de porte-lettres, voisine avec une tirelire en forme de boîte à lettres. Sur celle du bas se trouvent deux canotiers et un miroir à main, et, en bas, à gauche, des cannes.

Lit à chevet couvert

Ornementation très riche

Toilette en métal d'Evans & Cartwright

Broc et cuvette en porcelaine

Meuble en contreplaqué teinté

Pot de chambre en porcelaine

Bassinoire en métal

Canne en verre

TABLE ET CHAISE

(CI-DESSOUS) La table a un pied Waltershausen et des éléments rapportés en marbre. La chaise en fer forgé (v. 1840) est sans doute une pelote à épingles de chez Gleiwitz (Pologne).

DANS LA CHAMBRE

(CI-DESSUS) La bassinoire et la toilette sont les éléments les plus anciens. Les objets en porcelaine sont typiques des années 1890. Quant au lit, il a été réalisé en 1990, avec les montants d'un presse-livres.

Service à thé en opaline (probablement de Thuringe)

Chaise en fer forgé de style « gothique victorien »

Table à plateau de marbre

Épais rembourrage

Présentoir à œufs

Œufs en bois

Plat à couvercle cloche

Cafetière sur son réchaud à alcool

Desserte pliante

DESSERTE *(À GAUCHE)*
Ce petit meuble en cerisier a sans doute été fait chez Waltershausen vers 1900. Le plateau est amovible.

MAINATE *(À DROITE)*
Ce mainate (un animal insolite dans une maison de poupées) a été confectionné par les propriétaires actuels à partir d'un pingouin décoratif pour gâteau.

Mainate dans une cage pendue au plafond de la cuisine

Cage en laiton de style victorien

POUPÉES DU XIXᵉ SIÈCLE

LES QUATORZE POUPÉES de cette collection datent de la seconde moitié du XIXᵉ siècle. Elles ont un corps en chiffon, la tête, le bas des bras et les jambes en biscuit, à l'exception de la cuisinière, dont la tête est en porcelaine. Le pompier et l'officier sont en uniforme.

La femme porte un élégant costume bleu et blanc rehaussé de garnitures en dentelle assorti à sa coiffe moulée et peinte. Le petit garçon a un costume marin (de confection récente), vêtement très à la mode pour les enfants au XIXᵉ siècle.

Rouleau de tuyau fixé par des bretelles

Pompier en uniforme d'origine

Tête et membres en biscuit

Bras trop courts

Tête et haut de buste en biscuit (v. 1860)

Robe à garnitures de dentelle

Uniforme d'officier d'origine

Hache passée dans le ceinturon

Hautes bottes vernissées

Teckel en métal peint

Sabre et décorations d'origine

TIFFANY-PLATT
— États-Unis – v. 1860 —

ORSQUE FLORA GILL JACOBS acquit cette maison de poupées en 1957, celle-ci était connue sous le nom de Tiffany House, car on croyait qu'elle avait été faite pour la famille Tiffany. Puis on découvrit qu'un précédent propriétaire l'avait achetée lors d'une vente des biens de la famille Platt, si bien que Mrs Jacobs la rebaptisa Tiffany-Platt.

Derrière sa belle façade, cinq pièces se répartissent sur trois niveaux. Mais s'il y a une porte de communication entre celles du premier étage et celles du rez-de-chaussée, aucun escalier ne les fait communiquer avec le grand salon du premier étage. Autre détail surprenant, mais qui semble d'origine : la salle à manger se trouve au second étage, alors que la cuisine est au rez-de-chaussée.

Cadre
à décor
en relief

Meuble
de toilette
en métal
doré

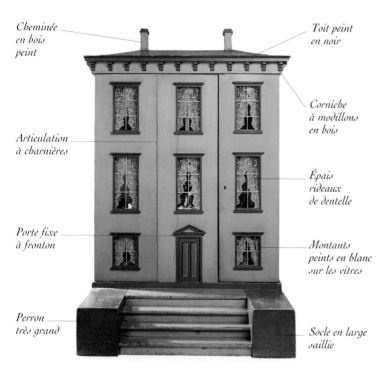

Cheminée
en bois
peint

Toit peint
en noir

Corniche
à modillons
en bois

Articulation
à charnières

Épais
rideaux
de dentelle

Porte fixe
à fronton

Montants
peints en blanc
sur les vitres

Perron
très grand

Socle en large
saillie

Vitrine
à lourdes
montures
dorées

Fenêtre
latérale

Poupée à tête
en porcelaine

Rocking-chair
en bois doré
et siège
capitonné

Bonne d'enfants
en costume
d'origine

Bébé en porcelaine
vernissée dans
son berceau

Chaise en bois peint
et garnitures assorties

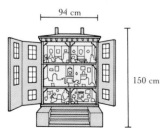

94 cm

150 cm

FAÇADE
Les fenêtres plus petites du rez-de-chaussée créent un effet de raccourcissement qu'accentuent, par contraste, les dimensions exagérées du perron, sans doute conçu pour servir de petit siège à des enfants.

Structure en bois peint, façade
à trois panneaux articulés

SECOND ÉTAGE

A gauche s'ouvre une chambre avec, notamment, une table à ouvrage et une coiffeuse dorées. A droite se trouve, bizarrement à cet étage, la salle à manger, associant de nombreux objets en bois, en marbre et en métal.

Applique électrique en métal doré

Jardinière avec des pots de fleurs en tissu

PREMIER ÉTAGE

Le grand salon qui occupe tout cet étage est particulièrement bien éclairé par de hautes fenêtres et plusieurs lampes. Les nombreux objets dorés, qui ajoutent à cette luminosité, contrastent avec les meubles en bois sombre.

Lampe de bureau

Confident en métal doré et sièges en soie

Chiens en velours sur un tapis en feutre

REZ-DE-CHAUSSÉE

La cuisine *(à droite)* est bien équipée, avec notamment une essoreuse et des moules à gâteaux. Dans la pièce de gauche, l'ameublement associe le rouge, le noir et le métal doré.

WASHINGTON DOLLS' HOUSE & TOY MUSEUM

OPULENCE EN MINIATURE

CETTE MAISON DE POUPÉES présente un intéressant assortiment de styles composites avec, en particulier, un imposant lit à colonnes qui a conservé ses draperies d'origine, d'insolites meubles en « teck de Chine » et, dans le salon, une lampe mixte, typique de cette époque, sans parler des charmants moules à muffins qui se trouvent dans la cuisine.

VITRINE (À DROITE)

Ce meuble est l'une des pièces d'origine de cette belle maison. Ses panneaux vitrés sont encadrés par une lourde structure dorée richement ornementée. Ses deux étagères à bordure dorée sont garnies d'une collection de bibelots en porcelaine fine.

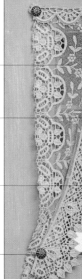

Garniture décorative en laiton

Étagère à bordure dorée

Porte sur l'arrière du meuble

Abondantes moulures dorées

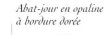

Abat-jour en opaline à bordure dorée

LAMPE DE PIANO
(À GAUCHE)

Ce lampadaire – l'une des nombreuses sources d'éclairage de cette maison – préfigure, par son décor végétal, l'avènement du style Art nouveau.

Réservoir en laiton

POÊLE *(À DROITE)*

Ce type de poêle, très en vogue en Amérique du Nord au milieu du XIXe siècle, était conçu pour se placer devant une cheminée.

Tuyau s'encastrant dans la cheminée

Lourd piètement carré

Collerette de feuilles dorées

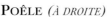

Pied à décor d'inspiration végétale

CONFIDENT *(CI-DESSOUS)*

D'origine française, ce canapé à sièges inversés, idéal pour les conversations « confidentielles », fut très à la mode au XIXe siècle.

Rideaux de dentelle à lambrequin

Fenêtre à panneau vitré

Montants peints sur le verre

Clou à fleuron en laiton

Garnitures en soie rouge

Délicate structure à volutes dorées

Double siège à dossiers inversés

RIDEAUX DE DENTELLE
(CI-DESSUS)

Aucune des fenêtres de cette maison n'a de tringle pour les rideaux, ceux-ci étant fixés à l'aide de petits clous à tête décorative en laiton.

*Sablier pour
sécher l'encre*

*Album
de photographies
à ferrure dorée*

SECRÉTAIRE

(À GAUCHE) Ce meuble
de style typiquement
Waltershausen a été
réalisé en Thuringe
par la maison
Schneegas, spécialisée
dans l'imitation du
palissandre.

DORMEUSE *(CI-DESSOUS)*

Comme beaucoup d'autres
objets de la maison Tiffany-
Pratt, ce très beau meuble,
intermédiaire entre le divan
et le canapé, est en métal
doré. Le siège et le coussin
cylindrique sont revêtus
de damas cramoisi.

*Tête de lion tenant
un anneau*

*Damas
cramoisi*

*Frise décorative
en métal doré*

PIANO ET PUPITRE

(CI-DESSOUS)
Ce piano à queue miniature
en acajou a été fabriqué à
Boston. Il renferme une
boîte à musique suisse,
visible sous une plaque
de verre. Le pupitre est en
métal doré et a été réalisé
en Allemagne.

*Partition
d'exercices
musicaux*

LAMPES *(À GAUCHE)*

La lampe mixte *(ci-contre)*
fonctionne à la fois au
pétrole et à l'électricité.
En bas, la lampe de bureau
à pétrole est équilibrée par
un contrepoids.

*Manchon
de lampe
à pétrole*

*Globe
diffuseur*

*Ampoule
électrique
à collerette
en opaline*

*Boîte
à musique sous
une plaque
de verre*

*Faux clavier
en papier*

*Chaise
assortie
à la dormeuse*

*Lampe
de bureau
à pétrole*

*Siège tapissé
de soie rouge*

*Marque
de la boîte
à musique suisse*

*Support
en rabat*

*Pupitre
en métal doré*

ÉLÉGANCE ET CONFORT

LA MAISON TIFFANY-PLATT dégage une certaine nostalgie pour une époque révolue, où l'ameublement des maisons de poupées était en bois, en métal ou en carton, et où les poupées elles-mêmes étaient en porcelaine, en biscuit ou en composition. On y retrouve le goût des styles confortables qui caractérisèrent la fin du XIXe siècle. Le charme de cette maison tient aussi au fait qu'une grande partie de son contenu a été conservé dans son état d'origine, même si les couleurs sont parfois un peu passées.

LIT À COLONNES (À DROITE)

Avec sa robuste structure en bois, ce lit Waltershausen donne une impression de chaleur, à laquelle s'ajoute la vaporeuse élégance des rideaux à lambrequins bordés de dentelle.

ROUGE ET OR (CI-DESSOUS)

Le beau dessus de lit cramoisi met particulièrement bien en valeur l'entourage en métal doré de ce lit dont le décor est très étudié.

LAMPE

(À GAUCHE) Un globe en verre rose entoure le manchon de cette lampe de table miniature, très courante à l'époque.

SOFA ET SIÈGES
(CI-DESSOUS)

Ces meubles font partie d'un bel ensemble en bois peint en rouge et garnitures assorties, qui voisine avec le lit en métal doré et des meubles en bois noir.

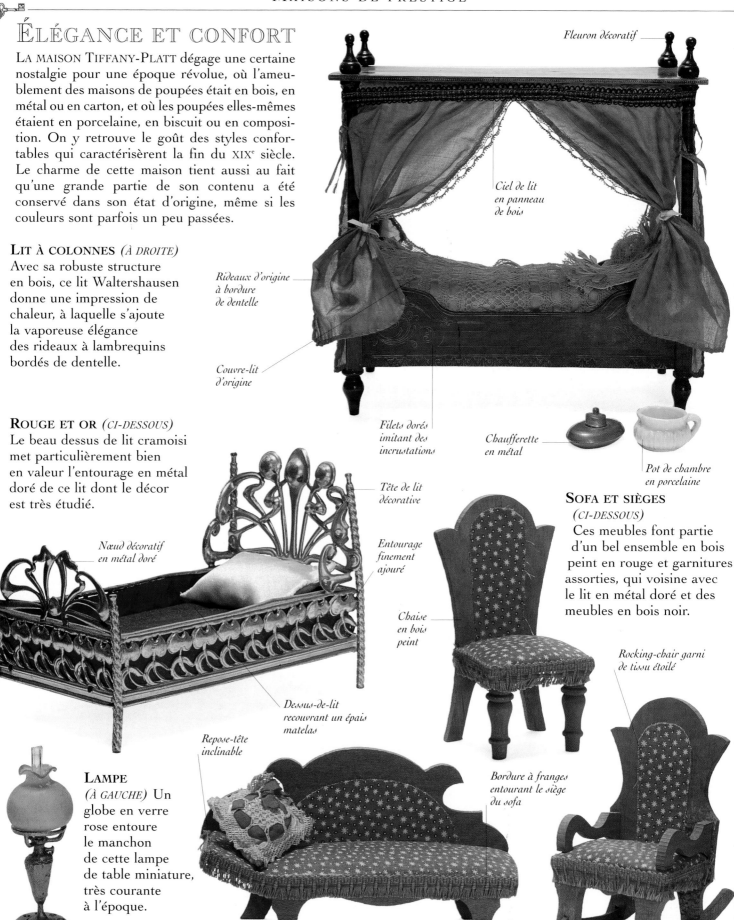

Fleuron décoratif

Ciel de lit en panneau de bois

Rideaux d'origine à bordure de dentelle

Couvre-lit d'origine

Filets dorés imitant des incrustations

Chaufferette en métal

Pot de chambre en porcelaine

Nœud décoratif en métal doré

Tête de lit décorative

Entourage finement ajouré

Chaise en bois peint

Rocking-chair garni de tissu étoilé

Dessus-de-lit recouvrant un épais matelas

Repose-tête inclinable

Bordure à franges entourant le siège du sofa

Pied en métal doré

DES POUPÉES BIEN VÊTUES

TOUTES LES POUPÉES de la maison Tiffany-Platt, qui comprend onze personnages et des animaux de compagnie, portent des costumes d'époque. Ceux des domestiques ont été achetés tout faits, mais les autres ont sans doute été confectionnés sur mesure. La plupart des poupées (y compris la nurse et l'enfant, ici) ont une tête en biscuit et un corps en chiffon sur fil de fer. Mais les trois autres adultes ci-dessous ont une tête et des mains en composition. Toutes ces poupées ont été importées d'Allemagne ou de France.

NURSE ET BÉBÉ
(À GAUCHE ET CI-DESSOUS)
La nurse, vêtue d'une simple robe brune et d'un ample tablier, a une tête en biscuit. Le bébé est en porcelaine vernissée. Ces deux poupées sont d'importation allemande.

CHIENS (À GAUCHE ET CI-DESSOUS)
La chienne et ses petits sont en velours. Le chien blanc est en céramique.

ENFANT ET ADULTES
(À DROITE) La petite fille est une poupée articulée en biscuit. Les adultes ont un corps en chiffon sur fil de fer, avec la tête et les mains en composition.

Nœud de dentelle fixé sur les cheveux peints

Uniforme de nurse

Cheveux peints en blond

Berceau en filigrane

Support métallique assorti au filigrane

Chienne et chiots sur un tapis – à l'origine un essuie-plumes

Chapeau moulé

Canne en bois

Lunettes en fil de fer

Tête en composition peinte

Ample robe à tournure

Chapeau moulé avec la tête

Traits du visage peints avec finesse

Bottines moulées et peintes

MAISON GEORGIENNE

— *Angleterre, création de John Hodgson – 1991* —

C ETTE MAISON DE POUPÉES est la deuxième que réalisa John Hodgson pour la collection Guthrie, à Hever Castle, dans le Kent, en Grande-Bretagne (la première est médiévale et la troisième de style Stuart). Elle a été conçue pour présenter des ensembles d'aménagement intérieur en réduction (à l'échelle 1/12), ses murs comportent plusieurs grands évidements qui permettent de découvrir le contenu de certaines pièces.

Comme son nom l'indique, cette maison est de style georgien, un style architectural anglais qui correspond à la plus grande partie du XVIIIe siècle et au tout début du XIXe. Sa structure principale est en aggloméré peint, avec du bois d'ébénisterie pour les portes intérieures et le mobilier. Son aspect et son aménagement s'inspirent de Sledmere House, dans le Yorkshire.

Store en carton fixé derrière la fenêtre

Évidement dans le mur pour laisser voir l'intérieur de la bibliothèque

Table de la salle à manger visible par la fenêtre

Gravier autour de la maison

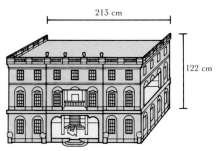

213 cm

122 cm

Aggloméré peint, portes en bois plein, fenêtres à guillotine, ouvertures sur trois côtés

BIBLIOTHÈQUE (*CI-DESSUS*)
Des détails tels que le grand tapis circulaire, brodé par Patricia Borwick, et le lustre en cristal de Donald Ward contribuent à l'élégance de cette pièce à l'ameublement Chippendale. Trois personnages sont réunis devant un feu scintillant réalisé en fibres de verre par Keith Evans, qui conçut l'éclairage de toute la maison.

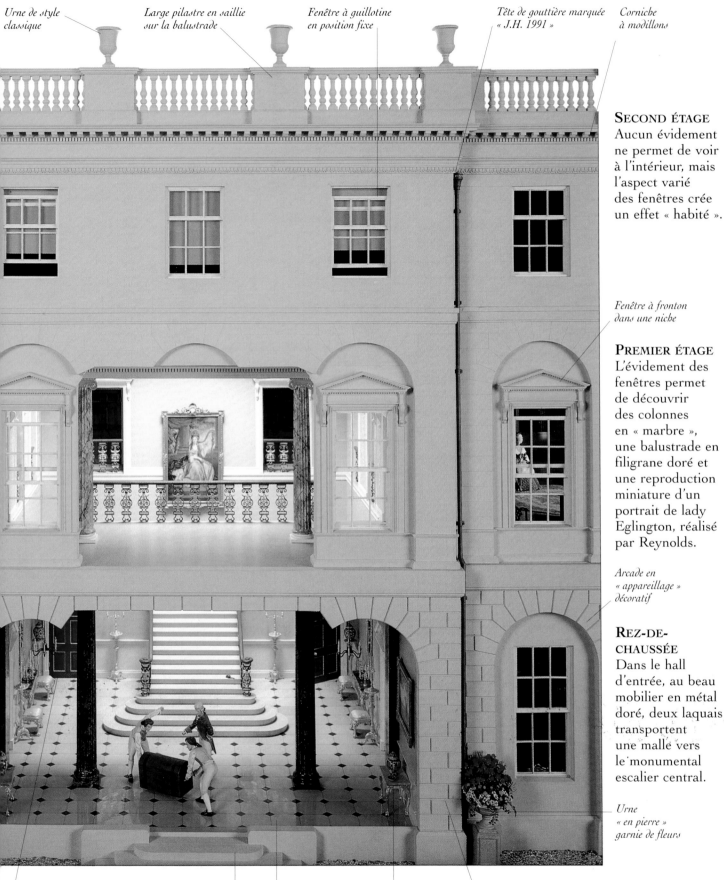

Urne de style classique

Large pilastre en saillie sur la balustrade

Fenêtre à guillotine en position fixe

Tête de gouttière marquée « J.H. 1991 »

Corniche à modillons

SECOND ÉTAGE
Aucun évidement ne permet de voir à l'intérieur, mais l'aspect varié des fenêtres crée un effet « habité ».

Fenêtre à fronton dans une niche

PREMIER ÉTAGE
L'évidement des fenêtres permet de découvrir des colonnes en « marbre », une balustrade en filigrane doré et une reproduction miniature d'un portrait de lady Eglington, réalisé par Reynolds.

Arcade en « appareillage » décoratif

REZ-DE-CHAUSSÉE
Dans le hall d'entrée, au beau mobilier en métal doré, deux laquais transportent une malle vers le monumental escalier central.

Urne « en pierre » garnie de fleurs

Porte de la salle à manger en acajou

Marches peintes imitant la pierre

Carrelage blanc et noir

Table en bronze doré

Mur en fausses pierres de taille

TRAVAIL DE PRÉCISION

LA MAISON GEORGIENNE prouve que les spécialistes actuels de la miniaturisation n'ont rien à envier à ceux des siècles passés. Les sièges conçus et réalisés par John Hodgson (en bois ou en bronze doré) sont remarquables. On est également impressionné par la minutieuse qualité du service en porcelaine Wedgwood de Karen Griffith, dont toutes les pièces sont marquées du monogramme «G», pour Guthrie.

Minuscule maquette du Golden Hind

Deux voiles déployées

Détails reproduits avec précision

Figure de proue

Chandelier en bronze doré, bougies en cire

Coupe en porcelaine de Muriel Hopwood

Vase en porcelaine de style Ming

Plateau délicatement gravé

Table en acajou à pieds en cabriole

Lampadaire en bronze doré

Table de style Early Georgian

Chaise à siège en brocart de soie

Base tripode très ouvragée

Pieds relevés

MAQUETTE *(CI-DESSUS)*
Réalisée par Paul Briggs, cette maquette est l'exacte réplique du *Golden Hind*, l'un des navires du célèbre navigateur et corsaire anglais Francis Drake.

TABLE ET CHAISE
(CI-DESSUS) Conçus par John Hodgson, ces petits meubles de style georgien sont en bronze doré, avec une abondante décoration gravée et moulée.

LAMPADAIRE *(CI-DESSUS)*
Cet imposant lampadaire, réalisé par John Hodgson, fait partie d'une paire qui encadre l'escalier du hall d'entrée.

Candélabre en argent poinçonné

Verre à pied de style XVIIIᵉ siècle

Chaise Chippendale à dossier ouvragé

Bouteille en verre soufflé

Monogramme « G », pour Guthrie

Rafraîchissoir à vin en argent

Porcelaine Wedgwood ornée d'une grecque

Couverts en argent

Dossier
ouvragé
à effet
de ruban

Siège à décor
flammé,
brodé par
Patricia
Borwick

Décor
en filigrane
autour de
la poignée

Plateau recouvert
de cuir

Encrier en argent,
avec une plume
et une bougie

Livre
à reliure
en cuir,
publié
par Lilliput
Press
en 1986

Minuscule
ferrure en
laiton

Caisson
arrière
aménagé
en placard

Le mécanisme
fonctionne
avec une pile

HORLOGE (CI-DESSUS)
Réalisée par Ken Palmer,
elle est en ébène et métal
doré.

BUREAU ET CHAISE
(CI-DESSUS)
Reposant sur quatre caissons
avec des tiroirs ou à placard,
ce beau bureau ministre est
accompagné d'une chaise
Chippendale à pieds
en cabriole.

TABLE (CI-DESSOUS)
Cette très longue table
de réception en acajou,
de John Hodgson, est
entourée de belles chaises
Chippendale. L'argenterie
est due à Stuart McCabe,
Josie Studd et Ken Palmer,
la verrerie à Edward Hall.

MODELAGE
TOUS LES PERSONNAGES de cette maison, qu'il
s'agisse des membres de la famille, des laquais
ou du maître de musique (dans le salon), ont été
réalisés par David Hoyle. Ils sont entièrement
modelés et peints, y compris leur costume à la
mode du XVIIIe siècle anglais. Si l'on a opté pour
cette formule du modelage, c'est parce qu'elle
permet de donner des attitudes plus naturelles.

Coiffe
et perruque
modelées

Expression
très réaliste

Fichu aux plis
soigneusement agencés

Tablier orné
de dentelles

Maîtresse
de maison

Jupe de dessous
capitonnée

Bouquet
de fleurs
en porcelaine

Table
à quatre pieds
quadripodes

BOUTIQUES, ÉCOLES ET PIÈCES MEUBLÉES

Boutiques, écoles et pièces meublées sont un peu comme des décors de théâtre en réduction, dans la mesure où leur objectif est de recréer, de façon aussi crédible que possible, l'ambiance particulière d'un cadre de vie ou d'une activité. On en fabrique depuis des siècles dans toute l'Europe et en Amérique, avec des motivations très diverses, ludiques ou utilitaires, y compris à des fins éducatives, laïques ou religieuses.

LES MODÈLES RÉDUITS DE PIÈCES ont une histoire très ancienne, comme en témoignent ceux que l'on a mis au jour dans des tombeaux égyptiens, grecs et romains. Le philosophe grec Platon proposa même que de telles miniaturisations soient utilisées à des fins éducatives, afin d'éveiller l'intérêt des garçons pour la construction et celui des filles pour les tâches ménagères. Dans les pays méditerranéens, les miniatures eurent par la suite une destination essentiellement religieuse, la crèche de Noël en étant l'exemple le plus évident.

Dans les pays de l'Europe du Nord, la tradition de ces modèles réduits se développa dans un cadre plus profane. En Allemagne, notamment, les mères de famille s'en servaient pour préparer leurs filles à devenir de bonnes maîtresses de maison. Les cuisines en miniature furent de ce fait particulièrement répandues, et de nombreux modèles en

BOUCHERIE *(À GAUCHE)*
Il s'agit de la reproduction d'une véritable boucherie écossaise du XIXᵉ siècle, comme l'indique la plaque posée sur la façade : « Milligans, Dumfries, 1843 ».

PIÈCE PLIABLE *(CI-DESSUS)*
Le trompe-l'œil qui orne le mur du fond témoigne bien de la grande qualité du travail de l'imprimerie lithographique allemande vers la fin du XIXᵉ siècle.

ont été réalisés depuis le XVIIe siècle. Les cuisines dites « de Nuremberg » furent parmi les plus célèbres, bien qu'on en ait également fabriqué d'excellente qualité ailleurs, surtout à Augsbourg, une autre ville allemande spécialisée dans le jouet.

Les minuscules ustensiles réalisés pour ces cuisines, en céramique, en argent ou en d'autres métaux moins précieux, ne manquèrent pas d'attirer l'attention des collectionneurs, qui en recherchèrent les plus beaux exemplaires pour compléter l'aménagement des salons et des salles à manger en miniature, très en vogue au cours du siècle dernier.

COLLECTIONS D'AUJOURD'HUI

Bien que les collectionneurs aient toujours eu tendance à préférer les maisons de poupées, ils n'ont jamais négligé pour autant les modèles réduits de pièces ou de magasins. Certains ont même choisi de se spécialiser dans ce domaine, ne serait-ce que pour une question de place. Deux superbes exemples sont présentés plus loin : le petit salon français exposé à Washington au Dolls' House and Toy Museum de Flora Gill Jacobs

(*voir pages 60-61*) et les deux pièces accolées d'une collection privée anglaise (*voir pages 64-65*). Au XXe siècle sont également apparues des salles de bains minutieusement reconstituées en métal peint (*voir pages 70-71*), auxquelles sont venues récemment s'ajouter des versions en matière plastique telles celles des panoplies Barbie.

Une tendance qui semble se répandre avec un succès croissant est la réalisation de magasins en miniature – la boutique du marchand de jouets étant, comme on peut l'imaginer, l'un des thèmes les plus appréciés. Dans un genre différent, l'une de mes amies a réalisé un fascinant « cabinet de vétérinaire » dans le style des années 1930, en hommage à la profession de son mari.

Même les modèles fabriqués industriellement au XXe siècle pour les enfants peuvent fort bien faire l'objet de collections. Tel est, par exemple, le cas des jolies pièces produites dans les

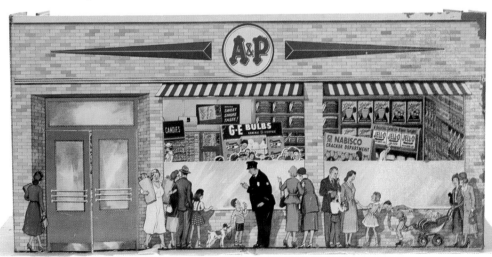

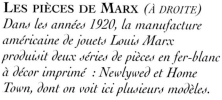

LES PIÈCES DE MARX (À DROITE)
*Dans les années 1920, la manufacture
américaine de jouets Louis Marx
produisit deux séries de pièces en fer-blanc
à décor imprimé : Newlywed et Home
Town, dont on voit ici plusieurs modèles.*

années 1920 par la firme américaine Louis Marx
et qui se vendaient très bon marché dans les
premières grandes surfaces de l'époque. Ces miniatures sont aujourd'hui très recherchées par les
collectionneurs.

DES PERSONNALITÉS D'EXCEPTION

Trois femmes se sont passionnées pour les modèles
réduits et nous ont laissé des collections excep-
tionnelles qu'on ne se lasse pas d'admirer et
d'étudier. En 1704, la princesse Augusta Dorothée

de Schwarzburg-Arnstadt entreprit de faire réaliser Mon Plaisir, un vaste ensemble reproduisant
en miniature sa cour, la ville et ses environs, en
peuplant le tout de quatre cents poupées dont les
costumes représentaient toutes les couches de la
société. A sa mort, en 1751, la princesse était
complètement ruinée, mais elle léguait cependant
un inestimable trésor à tous ceux qui s'intéressent
à l'histoire de la vie quotidienne et du costume.

Dans les années 1920, deux autres femmes – une
Américaine, Narcissa Thorne, et une Anglaise, Ka-
therine Carlisle – créèrent, séparément, des ensembles de pièces évoquant la décoration d'intérieur à travers les siècles, faisant appel pour cela
aux meilleurs artisans de l'époque. Mais si les
pièces de Mrs Thorne (réunies aujourd'hui au
Chicago's Art Institute) furent réalisées à des fins
éducatives, celles de Mrs Carlisle (léguées à
l'English National Trust) répondaient essentiellement à des préoccupations esthétiques.

BOUTIQUES EN TOUT GENRE

Dès le début du XIXe siècle, échoppes et magasins en miniature commencèrent également à se
généraliser, surtout en Allemagne. Cent ans plus

SALLE DE CLASSE (À GAUCHE)
*Une religieuse enseigne à des petites filles en uniforme
dans une école espagnole. La pièce, avec tout son contenu
(tables comprises), peut se replier contre les murs
en formant coffret.*

tard, on en trouvait dans tous les pays producteurs de jouets, chacun ayant ses spécialités : l'Angleterre était célèbre pour ses boucheries, les États-Unis pour ses boutiques en bois ou en carton à décor lithographique. La boutique de mode des pages 66-67 est tout à fait caractéristique de la production très ornementée des fabricants français et allemands.

Les magasins en carton imprimé connurent un grand succès, car ils étaient très peu onéreux : pour le prix d'un seul modèle en bois, on pouvait constituer toute une rue bordée de magasins et d'établissements divers, tels que des hôtels et un bureau de poste.

Plusieurs pays d'Amérique latine sont aujourd'hui réputés pour leurs modèles réduits en poterie ou en bois. Et en Asie, la Chine et le Japon ont produit toutes sortes de boutiques et d'échoppes en miniature, garnies d'une multitude d'accessoires.

ÉCOLE DES LOISIRS

Autre type de production, la salle de classe peut être conçue comme un simple jouet, plus ou moins éducatif (un charmant modèle espagnol est garni de vingt-six élèves représentant les lettres de l'alphabet), ou comme un objet de collection réservé aux adultes. Les modèles les plus intéressants ont été réalisés en Europe, avec des poupées françaises ou allemandes, en bois ou en biscuit, et tout un assortiment de livres, d'ardoises et de cartes murales. Mais on en trouve également dans d'autres parties

LIVRE DE CUISINE
(À DROITE)
L'un des trésors du Dolls' House & Toy Museum de Washington est ce minuscule livre de cuisine imprimé à Nuremberg en 1858. L'illustration de la couverture rappelle que les cuisines en miniature avaient une vocation éducative.

du monde : l'une des pièces de ma collection est une classe japonaise de 1890, dont les personnages sont en kimono et assis sur des sièges en bambou *(voir page 12)*.

Les modèles récents de salle de classe sont rares, mais certains artisans et fabricants de jouets réalisent encore des pièces en bois, carton ou matière plastique. Simples et bon marché ou fabriqués sur commande par des artisans renommés, ces objets témoignent de la popularité des miniatures, qui ne s'est jamais démentie au fil des siècles.

CHEZ LE VÉTÉRINAIRE *(CI-DESSOUS)*
Ce charmant ensemble fut réalisé par une Anglaise, en hommage à l'activité de son mari, dans les années 1930. Il se compose d'un cabinet de vétérinaire et d'une salle d'attente, séparés par une entrée.

CUISINE ALLEMANDE

— Cuisine de Nuremberg, Allemagne – v. 1800 —

EN ALLEMAGNE, comme à peu près partout dans le monde, c'étaient traditionnellement les mères qui se chargeaient d'apprendre à leurs filles tout ce qu'elles devaient savoir pour devenir de parfaites maîtresses de maison. Cette cuisine, qui date du tout début du XIXᵉ siècle, fut spécialement conçue comme un « outil pédagogique » destiné à ce type d'enseignement. En Europe, d'une façon générale, on a toujours préféré utiliser à des fins éducatives des modèles réduits de pièces plutôt que des maisons complètes. Et c'est dans cette perspective que de nombreuses cuisines ont été réalisées. Leur conception varie considérablement, des modèles les plus simples, avec un décor peint et un minimum d'accessoires, à des ensembles très élaborés, équipés d'une cheminée sculptée et d'une multitude d'ustensiles minutieusement reproduits.

CUISINE

Comme il s'agit ici d'un jouet à vocation essentiellement éducative, on s'est peu préoccupé du contenant, de structure très rudimentaire, pour privilégier le contenu, qui offre un assortiment minutieux et très complet de tout ce qui était jugé nécessaire dans une cuisine au début du siècle dernier.

Coiffure détaillée

Traits du visage peints avec réalisme

CUISINIÈRE
(À GAUCHE)
Cette poupée au visage expressif et au costume très bien étudié faisait initialement partie des personnages d'une crèche de Noël.

Mains un peu trop grandes

Tablier brodé

Pelle à farine ou à grain

Bougeoir en étain poli

Grand chaudron en laiton

Bassine en cuivre doublé de fer-blanc

91 cm

43 cm

Structure à trois murs, en bois peint

Étagère à rebord de sécurité

Fiche de suspension en bois

Casserole en cuivre

Papier à motif imprimé

Grande jarre à couvercle

Réchaud à braises sur un support à poignée

Fer à repasser sur son support

Lampe à huile

Pot à couvercle pour transport des saucisses chaudes

Tuyau de cheminée en bois sculpté

Hache à long manche

Assiettes en étain sur une étagère de la hotte

FER À REPASSER, LAMPE ET POT
(CI-DESSUS) Ces objets, qui sont remarquablement miniaturisés, faisaient partie des multiples accessoires que l'on devait trouver dans une cuisine bien équipée.

BILLOT
(À DROITE)
Une hache et un hachoir sont posés sur ce billot tripode, servant aussi bien à fendre des bûches qu'à couper des viandes et des légumes.

Couvercle d'écuelle

Rangement du bois sous le foyer

Pare-feu en cuivre

Balance suspendue au mur

Bidon à eau en cuivre

ÉQUIPEMENT SCOLAIRE
(À DROITE)

Les bureaux, dont
le pupitre peut s'ouvrir,
sont d'origine, comme
le tableau. Les minuscules
ardoises en carton fort
et les cahiers d'exercices,
de fabrication allemande,
sont des ajouts tardifs.

*Bureau en bois
fixé au banc*

*Cahier
d'exercices
à couverture
marbrée*

*Tableau noir riveté
sur son chevalet*

*Éponge
attachée
à l'ardoise*

*Carte illustrée
du département
de l'Yonne*

*Horloge à monture en métal
peint façon cuivre
(pas d'origine)*

*Murs en bois couverts
de papier uni*

*Bottines peintes
sur le bas
de la jambe*

*Plinthes couvrant
le bas des trois murs*

*Faux carrelage
en papier peint*

*Avancée légèrement
plus basse que le reste
du sol*

*Cartable
garni de livres*

*Bureau plus petit
pour une élève
plus jeune*

SALLE DE CLASSE

France, avec des pièces rapportées allemandes – v. 1880-1900

Poupée articulée, en biscuit, avec yeux en verre et perruque en mohair

L A PLUPART DES MODÈLES DE SALLE DE CLASSE se présentaient sous la forme d'un coffrage à trois murs. Et lorsqu'il y avait un quatrième mur, celui-ci pouvait généralement se rabattre pour devenir une extension du sol. Ici, ce quatrième mur n'est que partiel, et sa découpe harmonieuse ajoute incontestablement au charme de l'ensemble. Si cette salle de classe et son mobilier (y compris les bureaux en bois et le tableau noir) sont de fabrication française, bon nombre de ses éléments viennent d'Allemagne, notamment les cartables et les minuscules ardoises avec leur éponge.

Toutes les poupées, qui sont articulées, sont en biscuit, avec des yeux en verre et une perruque en mohair. Elles ne portent pas le traditionnel tablier d'écolier, mais des tenues variées, allant du strict costume marin avec un large col blanc de la petite fille qui se trouve en bas à droite à la superbe robe rouge à garnitures de dentelle de celle de gauche. On notera également trois types de chaussures que portaient les fillettes à la fin du XIXe siècle : chaussures à simple lanière de fixation, chaussures à deux lanières et bottines.

SALLE DE CLASSE
L'un des éléments les plus intéressants de cette salle de classe, en dehors des élèves, est l'ensemble de cartes murales de départements français avec leur répartition et leur appellation de l'époque (Basses-Alpes pour Alpes-de-Haute-Provence).

Chevalet servant de support au tableau

Costume marin bleu foncé à large col blanc

Cloche en métal à poignée de bois

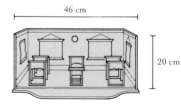

46 cm

20 cm

Pièce à trois murs, avec une avancée du sol

PETIT SALON

Manufacture française – v. 1880

C'EST AU XIXe SIÈCLE, surtout en France et en Allemagne, que les présentations d'intérieurs en modèles réduits connurent le plus de succès. On en trouvait alors de conceptions très diverses, allant du simple coffret à l'ensemble de deux pièces communiquant par une porte ou une arcade.

Ce petit salon est une merveille d'élégance et de charme. Il a, en outre, une structure très ingénieuse qui se replie (quand on en a retiré le contenu) en un coffret dont le fond et la paroi de devant sont formés par le sol de la pièce.

La richesse du décor doit beaucoup à l'ensemble que composent les rideaux verts et le papier mural semé d'étoiles d'or. Les pièces de ce type étaient généralement vendues garnies de meubles, mais chacun pouvait y ajouter les poupées et les accessoires de son choix, comme c'est le cas ici.

SERVICE À THÉ *(CI-DESSOUS)*
Ce charmant ensemble de sept pièces sur un plateau assorti est en porcelaine de Sèvres à semis de roses et motifs dorés.

SALON
La plupart des ornements, les livres et le *Petit Journal pour rire* sont des pièces rapportées, mais tout le mobilier (desserte, console, table, chaises à siège en imitation cuir) et les miroirs sont d'origine. Les deux poupées articulées sont en biscuit, avec des yeux en verre.

Décoration à dorures

40 cm

22 cm

Murs en bois repliables en coffret, deux fenêtres d'angle

Pot en bois peint couleur terre cuite

Paroi de devant rabattue pour prolonger le sol

Revêtement de sol en papier à décor imprimé

Fausse incrustation formée d'une mince bande de papier noir

Bordure
à décor doré

Papier mural
vert foncé à semis
d'étoiles dorées

Rideaux
en dentelle
contre la fenêtre

Double rideau
en taffetas vert
à bordure dorée

Fenêtre en verre
à montants
en papier collé

Miroir
mural
à cadre
en carton
doré

Vase
à corolle
en verre
sur un
pied doré

Tapis en laine brodée
au point de croix

Poupée en biscuit
tenant un bilboquet

Livre de rondes enfantines, avec paroles
et musique, daté de 1895

ÉPICERIE-BAZAR

— Allemagne – seconde moitié du XIXᵉ siècle —

I L S'AGIT LÀ D'UN DES RARES MODÈLES de boutiques provenant de Waltershausen, centre de production de jouets de Thuringe, en Allemagne, célèbre pour les meubles en imitation de bois exotiques pour maisons de poupées que réalisait Schneegas, une manufacture fondée en 1840.

L'un des plus célèbres types de boutiques en miniature de la production allemande est l'échoppe de *Christkindlemarkt*, garnie de décorations, de friandises et de jouets de Noël. Jusqu'au milieu du XVIIIᵉ siècle, les articles de ce genre n'étaient généralement présentés que sur de simples éventaires. Par la suite, on en garnissait aussi des modèles réduits de boutiques, comme en témoignent le catalogue de Bestelmeier de 1793 et ceux qui furent publiés à Nuremberg au XIXᵉ siècle.

Griffon doré imprimé sur le bois

Couvercle de la boîte de cigares

Véritables cigares en tabac

Bouteille de kummel, alcool parfumé au cumin

CIGARES ET ALCOOLS *(CI-DESSUS)*
Les fumeurs et buveurs sont à l'honneur dans ce magasin : plusieurs tiroirs contiennent du tabac, et sur les étagères sont rangées des bouteilles.

Décor doré imitant des incrustations

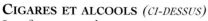
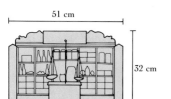

51 cm

32 cm

Structure en bois peint, sans plafond ni façade

Papier imprimé à décor inhabituel pour l'époque

Tiroir à sel (Salz)

Poignée en métal sur chaque tiroir

Le même motif décoratif se retrouve sur tous les tiroirs

*Enseigne de la boutique
signifiant « Épicerie-bazar »*

*Bocal à poivre
en marbre, avec
une étiquette en italien*

INTÉRIEUR DU MAGASIN

Par sa présentation générale, cette boutique-bazar ressemble à la plupart de celles qui se vendaient en Allemagne au XIXe siècle. Mais celle-ci se distingue par son ornementation de style typiquement Waltershausen, avec imitation de bois de rose à incrustations.

*Grande balance en laiton
fixée sur le comptoir*

*Tonneau en bois, contenant
sans doute de la bière*

Écheveaux de laine

*Étiquette en italien :
« Savon ordinaire »*

DEUX-PIÈCES

—— *Allemagne, mobilier Rock & Graner – v. 1880-1900* ——

L A PRODUCTION DE JOUETS ALLEMANDE a également été très active dans le Wurtemberg. Outre celle de la famille Schoenhut *(voir pages 92-93)*, l'une des marques les plus connues aujourd'hui est Rock & Graner, une entreprise qui se spécialisa, dès le milieu du XIXe siècle, dans le mobilier métallique pour maisons de poupées.

Cet ensemble de deux pièces accolées a été acheté à Zurich, en Suisse, au tout début de ce siècle. Tous ses meubles, réalisés par Rock & Graner, ont une structure entièrement métallique, peinte à la main pour imiter le bois. Ils s'harmonisent parfaitement avec la délicatesse du décor mural, la texture vaporeuse des rideaux et les chaudes tonalités du sol.

INTÉRIEUR

Au décor d'origine (rideaux, papier mural, revêtement de sol) ont été ajoutés par la suite d'autres éléments, tels que les cadres dorés, les horloges ainsi que les jardinières fleuries.

Canapé Rock & Graner à garniture en soie

Pinces en métal doré

Volets
en bois
à jalousies

Rideaux
et volets
s'ouvrent

Fausses
pierres
peintes

Poignée
en laiton

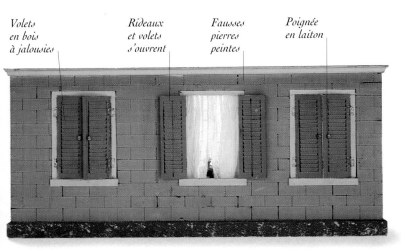

EXTÉRIEUR
Les trois fenêtres
du mur du fond sont
équipées de volets
à jalousies qui s'ouvrent
et se ferment.

Tuyau d'échappement fixé au mur

POÊLE *(À DROITE)*
Dans un des angles
de la chambre, ce poêle
émaillé s'agrémente
de deux bandes dorées.

Porte en
laiton à
charnières

Porte
pouvant
s'ouvrir
également

Jardinière
Rock & Graner
garnie de fleurs

Meuble
de toilette
à couvercle

Cantonnière
richement
ornementée

Lampe à pétrole
à globe
en opaline

BUFFET-DRESSOIR *(CI-DESSOUS)*
Sur l'étagère, que soutiennent
deux serpents dorés, s'alignent
deux cadres dorés ouvragés
et une horloge.

Applique
murale
en métal
doré

Rouleau
de bougie
en cire

Plaque
en métal peint

Métal peint
imitant le bois

Lit Rock & Graner
en métal peint

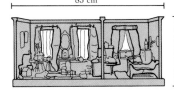

83 cm

37 cm

*Ensemble de deux pièces,
fenêtres vitrées à volets mobiles*

CHEZ LA MODISTE

—— Allemagne, importé par F.A.O. Schwarz de New York – v. 1900 ——

CETTE SURABONDANCE DE MOULURES peintes et de dorures peut paraître un peu exagérée, mais sans doute est-elle là pour signifier qu'il s'agit d'une boutique de luxe. Par contraste, le papier mural et le revêtement de sol paraissent bien modestes. La structure de base est d'un modèle très répandu dans les catalogues de l'époque. On y ajoutait des colonnes, des pans de murs et d'autres éléments complémentaires, selon le type de commerce que l'on voulait évoquer, que ce soit une boucherie, un bazar ou un atelier de couture.

Ce modèle a conservé son étiquette d'origine, indiquant qu'il a été acheté chez le célèbre marchand de jouets new-yorkais F.A.O. Schwarz, dont les catalogues proposèrent pendant de nombreuses années un vaste choix de boutiques, la plupart importées d'Allemagne.

BOUTIQUE DE LUXE
(CI-DESSOUS)
L'ensemble du décor et la plupart des luxueux accessoires sont d'origine. La caisse enregistreuse et les deux poupées, en revanche, sont des apports plus tardifs.

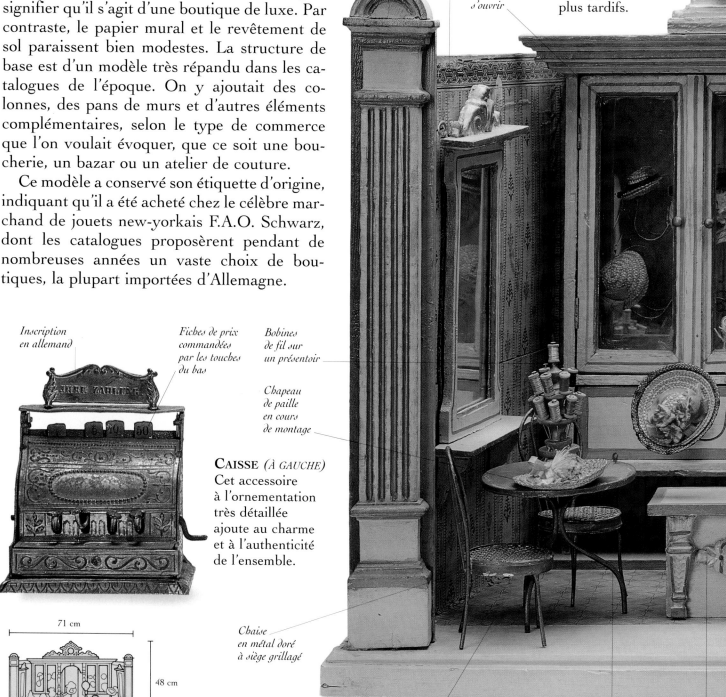

Papier mural d'origine

Portes pouvant s'ouvrir

Inscription en allemand

Fiches de prix commandées par les touches du bas

Bobines de fil sur un présentoir

Chapeau de paille en cours de montage

CAISSE *(À GAUCHE)*
Cet accessoire à l'ornementation très détaillée ajoute au charme et à l'authenticité de l'ensemble.

71 cm

48 cm

Structure en bois peint, à trois murs sans plafond

Chaise en métal doré à siège grillagé

Faux carrelage en papier imprimé

Guéridon en métal doré faisant partie du même ensemble que les chaises

Comptoir amovible à moulures peintes

Alcôve
cloisonnée
par des
miroirs

Cadran
en papier
imprimé

Fronton
à moulures
dorées

PORTE-CHAPEAUX
(*À GAUCHE*) Les chapeaux
qui garnissent cet élégant
support en métal doré,
à base lestée, sont tous
d'un modèle différent.

*Miroir mural,
au cadre assorti au décor*

*Miroir à main
en métal doré*

*Modiste en biscuit,
à cheveux moulés
et peints*

*Lampe à pétrole
en métal doré
et globe en opaline*

*Cliente en biscuit,
coiffée d'un chapeau
très élaboré*

BOUCHERIE

— Allemagne, production Christian Hacker – v. 1900 —

ETTE BOUCHERIE, offerte à une petite fille vers 1905, est due au fabricant de jouets Christian Hacker. Cette entreprise allemande de Nuremberg se lança dans la production de modèles réduits de maisons et de boutiques vers le milieu des années 1870. Elle réalisa également des meubles pour maisons de poupées, ainsi que des cuisines en miniature. Les boutiques, comme les cuisines, étaient considérées comme des jouets éducatifs, ce qui explique ici le minutieux réalisme des quartiers de viande.

Pour avoir une vocation éducative, cette boutique n'en était pas moins un jouet, si bien qu'on est surpris d'en retrouver tout le contenu au complet et en aussi bon état.

Fronton amovible monté sur des chevilles

Faux carrelage en papier

Carcasse pendue à un crochet

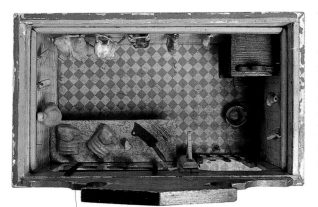

VUE PLONGEANTE
(À GAUCHE)
Sur l'étal, qui est fixe, voisinent des quartiers de viande et des instruments tranchants divers. Le « carrelage » est d'origine. La caisse est amovible.

Pas de plafond derrière le fronton

Carcasses moulées et peintes avec réalisme

Morceaux de viande suspendus en vitrine

VIANDE *(À DROITE)*
Divers types de viande sont ici présentés, y compris la carcasse d'un ours, dont la peau a été rendue avec beaucoup de réalisme.

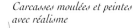

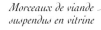

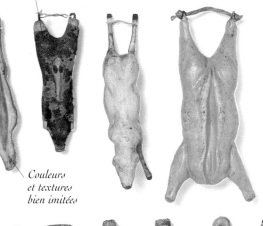

Couleurs et textures bien imitées

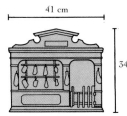

41 cm

34 cm

Coffret à quatre parois, barrière et porte de caisse à charnières

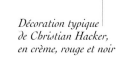

Décoration typique de Christian Hacker, en crème, rouge et noir

Motif doré typique des ensembles Christian Hacker

FAÇADE ET INTÉRIEUR

Les ouvertures de la façade permettent de jeter un coup d'œil à l'intérieur. Le contenu, entièrement d'origine, a moins souffert que la décoration extérieure, qui est typique de la production due à Christian Hacker.

Panoplie de couteaux

Couperet à manche de bois

Seau en métal peint

ÉQUIPEMENT DE BOUCHER (*CI-DESSUS*)

Le couperet est conçu pour s'accrocher au mur, et le seau pour être placé sous les carcasses en cours de préparation.

Enseigne en anglais, pour l'exportation

Façade ornée d'une grecque dorée

Charnière métallique

Cash

CAISSE EN BOIS (*CI-DESSUS*)

Le devant de cette caisse en guérite, percé d'un guichet à petit comptoir, peut s'ouvrir. L'intérieur comporte un siège.

Costume de boucher à la mode allemande, avec blouse, pantalon bouffant et bonnet

Barrière en bois, à charnières et poignée en métal

SALLE DE BAINS

— Allemagne – années 1920 —

CONTRAIREMENT AUX MODÈLES RÉDUITS DE CUISINES, qui fascinent par le foisonnement de leur contenu, la salle de bains a un équipement restreint et peu de décorations. Ce jouet eut pourtant beaucoup de succès auprès de générations d'enfants, surtout, comme c'est le cas ici, lorsqu'il y avait « l'eau courante ». En effet, cette pièce d'apparence si simple est pourvue d'un ingénieux système de tuyauterie : une pompe permet de remplir les réservoirs fixés derrière les murs en fer et qui approvisionnent le lavabo, la baignoire, la douche et la chasse d'eau.

L'aménagement de ce modèle est simple, mais complet, avec un miroir, des porte-serviettes, un support pour papier hygiénique, un tapis de bain et même un thermomètre. Quant à la poupée, allongée dans la baignoire, elle est en céramique vernissée blanche.

Miroir à cadre doré suspendu à un crochet

Robinet pivotant pour déclencher l'écoulement

Chasse d'eau

Approvisionnement de la douche

Réservoir pour la douche et la baignoire

Réservoir du lavabo

Support d'un ancien collecteur d'évacuation

Tuyau en caoutchouc ramenant l'eau du bain à la pompe

Peigne en métal

SYSTÈME DE CIRCUIT FERMÉ *(CI-DESSUS)*

Quand on imprime un va-et-vient à l'anneau de la pompe, l'eau est propulsée dans les tuyaux d'approvisionnement des robinets. D'autres tuyaux ramènent ensuite les « eaux usées » vers le réservoir.

33 cm

19 cm

Pièce en métal, avec circuit d'approvisionnement en eau

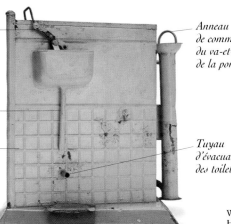

DÉCOR RÉALISTE
Le bas des murs est en
« carrelage » estampé dans
le métal, alors que le haut
est peint en bleu avec
des moulures dorées.
La baignoire, le lavabo
et la cuvette des toilettes
sont en fer peint. Tous les
robinets sont en laiton.

*Levier
de la chasse
d'eau*

*Tuyau relié
à la cuvette
des toilettes*

*Carrelage
estampé dans
la feuille de métal*

*Anneau
de commande
du va-et-vient
de la pompe*

*Tuyau
d'évacuation
des toilettes*

CHASSE D'EAU (À GAUCHE)
Le réservoir est fixé derrière
le mur, et l'écoulement de
l'eau est déclenché par un
levier à soupape commandé
par la tige située à côté de
la cuvette. A l'origine,
un autre réservoir, situé
derrière le bas du mur,
recueillait l'eau évacuée.

WASHINGTON DOLLS'
HOUSE & TOY MUSEUM

*Pomme de douche
perforée*

*Thermomètre
de bain*

MODÈLES FABRIQUÉS EN SÉRIE

Le XIXᵉ siècle marqua un tournant dans l'histoire des maisons de poupées, car l'on se mit à les produire en série pour en développer la vente en tant que jouets et non plus seulement comme objets de collection. C'est également au cours de ce siècle que les adultes, comme les enfants, commencèrent à s'intéresser aux maisons de poupées conçues dans le style de leur époque – celles du passé n'en demeurant pas moins de précieux objets de collection.

EN 1762, déjà, le célèbre marchand de jouets londonien, Bellamy, proposait à sa clientèle une liste d'articles pour adultes et enfants, en précisant notamment : « Maisons de poupées avec toutes sortes de meubles à très bas prix. Vente en gros et au détail. » Ainsi donc, la production commerciale de maisons de poupées destinées à un vaste public fit son apparition plus tôt qu'on ne le suppose généralement. Mais c'est seulement à partir du milieu du XIXᵉ siècle que se généralisa la production en grandes quantités de ce type d'articles, surtout en Allemagne et en Angleterre.

A cette époque, les maisons de poupées et autres modèles réduits analogues (boutiques, pièces meublées, etc.) étaient fabriqués par des artisans spécialisés qui travaillaient le plus souvent « en chambre » et les vendaient par séries à des détaillants. Dans *Le Grillon du foyer*, Charles Dickens a parfaitement bien décrit cette activité, évoquant notamment la diversité de cette production : « [...] immeubles locatifs pour poupées à petits moyens, cuisines et simples chambres pour les plus pauvres, résidences citadines pour les poupées de haute condition [...] certaines déjà meublées [...] d'autres pouvant être instantanément garnies de tout un assortiment de chaises et de tables, de sofas, châlits et garnitures d'ameublement ».

DEUX VILLAS FRANÇAISES
(À GAUCHE)
Mon Repos (à gauche et pages 80-81) a un décor intérieur très soigné. L'autre maison (ci-contre) est plus tardive et moins raffinée. L'une et l'autre ont une entrée sur perron, un balcon au premier étage et un second étage mansardé.

Si les pays méditerranéens ont généralement boudé les maisons de poupées, celles-ci furent, en revanche, très à l'honneur dans les pays de l'Europe du Nord. On en trouve d'intéressants modèles du siècle dernier dans des musées danois, norvégiens et suédois ; certains ont été importés d'Allemagne, mais d'autres ont été réalisés et meublés, ne serait-ce que partiellement, en Scandinavie. Plusieurs des plus célèbres fabricants actuels de meubles pour maisons de poupées sont scandinaves : la production de la firme suédoise Lundby se vend dans le monde entier, et les réalisations « au goût du jour » de Brio (Suède) et de Hansi (Danemark) séduisent autant les adultes que les enfants.

LES GRANDS NOMS
Pendant près de deux siècles, toutefois, ce furent des manufactures allemandes et anglaises, puis plus tardivement américaines, qui assurèrent la production des maisons de poupées et de leurs

COTTAGE ANGLAIS
(CI-DESSUS)
Ce modèle insolite en bois et en papier mâché est une production de Florence Callcott, comme l'atteste son étiquette. Il comporte un escalier intérieur.

PAPIER IMPRIMÉ
(À DROITE)
On voit ici, sur le couvercle de son coffret, un modèle pliable à décor imprimé sur papier, produit de 1884 à 1903 par McLoughlin Brothers, de New York.

Jusqu'à une époque très récente, la plupart des fabricants et des détaillants anglais de maisons de poupées étaient établis à Londres, de même que les sociétés d'importation, lesquelles travaillaient essentiellement avec l'Allemagne. Les petits Londoniens étaient particulièrement gâtés avec des entreprises telles que Silber & Fleming (fabricants et importateurs), Cremer (importateur et détaillant) et un grand magasin comme Gamages and Whiteleys –, pour ne citer que ces noms-là.

Au cours du XIXe siècle, des maisons de poupées allemandes et anglaises s'exportèrent aux États-Unis, où elles figuraient en bonne place sur les catalogues de magasins tels que F.A.O. Schwarz et Sears Roebuck, conjointement à l'excellente production de fabricants américains tels que Bliss, Schoenhut, McLoughlin ou encore Converse.

MOBILIER BLISS (À DROITE)
De 1888 à 1901, la firme américaine Bliss commercialisa des séries de meubles à décor imprimé pour divers types de pièces. Le coffret ci-contre renferme un ensemble de salon : un piano, une table, un sofa et des chaises.

MAISON SILBER & FLEMING
(CI-DESSOUS) Ce fabricant et importateur londonien (1850-1900) commercialisa des modèles divers, allant du simple deux-pièces à des maisons de six pièces avec un escalier intérieur. La plupart ont une façade ouvrante, peinte en imitation de briques et de pierres.

accessoires dont la cote est actuellement la plus élevée chez les collectionneurs. Citons, en particulier, les maisons réalisées par Moritz Gottschalk (1865-1939) et Christian Hacker (1870-1914), le mobilier en fer peint à l'imitation du bois de Rock & Graner (1825-1904), les faux bois exotiques à incrustations de Schneegas (1830-1940) et le mobilier en filigrane de Schweitzer – une entreprise fondée en 1796 et toujours en activité. Toutes ces productions peuvent atteindre des prix élevés dans les ventes spécialisées. Les meubles métalliques de la firme anglaise Evans & Cartwright (1800-1880) et ceux de Avery & Sons (années 1860) en métal doré sont également très cotés.

Enfin, certains collectionneurs s'intéressent à des maisons de poupées du XXe siècle, comme celles qui furent réalisées par Lines (1919-1971) et meublées par Elgin (1919-1926) ou Barton (1945-1984).

PRINCIPALES TENDANCES

En Grande-Bretagne ainsi que, dans une large mesure, aux États-Unis, on a toujours préféré les maisons de poupées aux modèles réduits de pièces individuelles. Ailleurs, et surtout en France et en Allemagne, c'était généralement le contraire.

Au XIXe siècle, la plupart des maisons de poupées, à l'exception des modèles très bon marché, étaient en bois peint à l'imitation de la pierre ou de la brique. Mais on produisait également d'excellents modèles en papier et en carton imprimés, notamment aux États-Unis, où ils connurent un grand succès à partir de la fin du siècle. Dans ce

MAISON EN CARTON
Ces trois modèles figuraient dans le catalogue 1928 de la firme américaine Sears Roebuck. Vendus à bas prix, ils eurent beaucoup de succès.

vives couleurs. Aujourd'hui, c'est le plastique qui prédomine largement. Deux modèles actuels qui connaissent un grand succès sont la maison Playmobil (une firme allemande), de style 1900, entièrement en matière plastique, et la maison à façade ouverte de chez Lundby (une firme suédoise), qui associe plastique, bois et aggloméré.

Les maisons à construire en kit ont également du succès. Une firme britannique, Hobbies of Dereham, fournit ainsi, depuis plusieurs décennies, les plans et les matériaux nécessaires *(voir pages 94-95)*. Il existe également des livres de planches imprimées qu'il suffit de découper, plier et coller en suivant le mode d'emploi ; certains de ces modèles sont très ingénieux, comme celui que l'on peut voir à la page 112.

Il n'empêche que, même à notre époque dominée par le plastique, le bois demeure le matériau préféré de tous les artisans spécialisés qui maintiennent la tradition des maisons de poupées de qualité. C'est surtout vrai pour ce qui est des meubles, auxquels le bois confère une indéniable et chaleureuse élégance, même si ce n'est pas toujours « à des prix très bas », comme le proclamait Bellamy en 1762.

domaine, le nom le plus célèbre est sans doute celui de McLoughlin Brothers *(voir pages 86-87)*, dont les séries de maisons en carton « à monter soi-même » furent exportées jusqu'en Europe, et plus particulièrement en Grande-Bretagne.

Avant l'introduction du plastique, le fer-blanc (ou d'autres types de feuilles métalliques plus lourdes) fut assez couramment utilisé pour des modèles réduits de pièces et de meubles. Dès 1869, Louis Marx, Mettoy et plusieurs autres entreprises moins connues produisaient de jolies maisons en feuilles de fer-blanc à décor imprimé de

MODÈLE SCHOENHUT
(À GAUCHE)
Cette pièce d'une maison Schoenhut présente un simple décor peint à motifs imprimés. Les meubles et les poupées sont des apports récents.

MÈRE ET FILLE
(CI-DESSUS)
En 1964, la firme américaine Grandmother Stover lança ces poupées en matière plastique articulées, entièrement peintes et habillées par Ethel Strong.

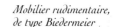

N° 12

— Angleterre ou Allemagne – années 1870 —

Mobilier rudimentaire,
de type Biedermeier

Cheminée
en métal

ETTE MAISON DE POUPÉES à structure en coffret correspond à un modèle type dont la commercialisation se généralisa vers la fin du XIXᵉ siècle. Mais comme elle ne comporte pas de marque de fabrique ni d'éléments distinctifs, et que de nombreux exemplaires analogues ont été produits en Angleterre et en Allemagne au cours de cette période, il est difficile d'en établir l'origine avec certitude.

La façade de ce N° 12 est très sobre, si l'on excepte les balcons et le fronton en briques des fenêtres. L'intérieur, en revanche, présente un foisonnant assortiment de papiers peints au décor délicat, de tapis, de meubles (allemands pour la plupart) et d'ornements divers, ainsi que onze poupées réparties sur les trois niveaux. Cette maison doit son nom au numéro qui avait été peint sur sa porte.

Pierres
d'angle
en bois

Linteau
décoratif
en « briques »
peintes

Balcon
en métal
marron
et or

Balustres
clouées
au rebord
en bois

Rebord de fenêtre
en saillie

Marches clouées
au bas de la porte

Porte en bois
peint

FAÇADE

Les balcons en métal peint et les linteaux de fenêtre en « briques » sont les principaux ornements extérieurs de cette maison, dont les autres côtés ne présentent aucune autre décoration. Les quatorze fenêtres sont vitrées.

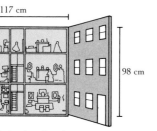

117 cm

98 cm

*Coffrage en bois, façade s'ouvrant
en deux panneaux*

Dressoir en bois
fixé au mur

Table de cuisine, avec tiroirs
et rallonges

Épais papier doré
à décor en relief

Avancée de la cheminée
se prolongeant à tous les niveaux

Manteau orné
d'un galon brodé

SECOND ÉTAGE
La chambre d'enfants
(à gauche), où joue
un petit garçon,
est meublée avec
simplicité, de même
que la chambre
de bonne *(à droite),*
dont le principal
élément de confort est
une baignoire-sabot.

Broc et cuvette en porcelaine
sur la toilette

PREMIER ÉTAGE
Le salon *(à droite)* et
la chambre à coucher
(à gauche) sont tous
deux aménagés dans
le style victorien,
avec du mobilier
Waltershausen
et une profusion
de tableaux, miroirs,
lampes et ornements
divers.

Chandelier en applique
dorée

Éléphant en ivoire portant
un gros bougeoir

Chaîne permettant de faire
monter ou descendre le lustre

Gravure
à cadre doré

REZ-DE-CHAUSSÉE
Un étroit hall d'entrée
sépare la cuisine
(à gauche), avec
sa haute cheminée
en métal noirci,
de la salle à manger
(à droite), au décor
très étudié : meubles
Waltershausen rouge
et noir, murs rouge
et or, et cadres
dorés.

Escalier amovible   *Papier à reliefs*
à hautes marches

Tapis confectionné à partir
d'un châle en laine

Portrait d'ancêtre
en miniature

Frise à reliefs
dorés

SOUCI DU DÉTAIL

SEULS LES ESCALIERS ET LES CHEMINÉES (y compris la cuisinière) sont d'origine. Tout le reste est le fruit d'un minutieux travail de reconstitution de la décoration intérieure et de l'organisation domestique de l'époque. Une grande partie du mobilier est en « bois de rose » Waltershausen, mais on trouve aussi de l'argenterie anglaise et quelques objets orientaux.

Bouilloire à couvercle amovible

Robinet d'eau chaude

Seau à charbon en métal peint

BAC À LESSIVE *(CI-DESSOUS)*
Le bac est en bois cerclé de fer. La planche est, elle aussi, en bois et en fer.

Poissonnière en cuivre

Tissu éponge et flanelle, matériaux courants à l'époque

Cuisinière en métal embouti, typique du XIX⁰ siècle

Gril à manche

ACCESSOIRES *(À GAUCHE)*
Tous ces objets ont un rapport avec le feu, y compris le gril, généralement accroché au mur près de la cuisinière.

CUISINIÈRE *(CI-DESSUS)*
Dans la partie de gauche, sous la cafetière en argent, deux fours sont superposés. La partie de droite renferme un réservoir d'eau chaude. Au centre, derrière les grilles, il y a du vrai charbon.

Délicat décor laqué, à l'intérieur comme à l'extérieur

Tiroirs pouvant s'ouvrir

Fourche à braises

Pincettes non articulées

Panneau en « ivoire » sur le devant de l'accoudoir

COFFRE À TIROIRS *(À GAUCHE)*
Ce superbe meuble laqué faisait initialement partie d'un ensemble japonais Hina Matsuri.

SOFA WALTERSHAUSEN *(CI-DESSUS)*
Le rembourrage est garni de beau velours cramoisi avec franges et galons dorés.

POUPÉES ALLEMANDES EN BISCUIT

TOUTES CES POUPÉES sont en biscuit blanc, avec les joues teintées et les traits du visage peints. Les cheveux sont en mohair, sauf ceux du bébé, qui sont moulés et peints. Les trois enfants sont entièrement en biscuit et articulés aux épaules et aux hanches. Les adultes ont le corps et le haut des membres en chiffon, avec des articulations cousues.

FAMILLE (À DROITE)
Tous les personnages de la famille du N°12 portent des vêtements à la mode des années 1870 et confectionnés avec des tissus anciens d'après des planches de costumes de l'époque.

DOMESTIQUES
(CI-DESSOUS) Le bébé de la famille est présenté ici avec sa nurse et tous les autres membres du personnel, y compris un cocher en tenue de travail.

Robe en velours et satin

L'une des premières versions du costume marin

Assis dans un fauteuil en cuir, le père

Perruque rousse en mohair

Poupée en biscuit à bras et jambes articulés

Robe de petite fille avec nœud de tournure

Cavalier King Charles Spaniel en biscuit

Chat angora en biscuit

Cocher en grande livrée

Servante en robe imprimée et tablier

Nurse en tenue traditionnelle

Bonnet de cuisinière retenant les cheveux

Bébé vêtu de soie et de dentelles

Bouteille en bois, chope en verre

Berceau en vannerie

Papier imprimé
« façon briques »

Fausse fenêtre
mansardée

Oiseau
en bois
sculpté

Fenêtre légèrement
plus grande que
celle de gauche

Papier
mural
d'origine
en parfait
état

Corniche
en bois
clouée

ÉTAGE
Papier mural,
rideaux et
meubles sont
recouverts de
découpages
imprimés et
créent ainsi
une harmonie
à dominantes
rouge et rose.

Paravent tapissé
de découpages
imprimés

Vase de fleurs
en métal peint

Cadre
en filigrane

**REZ-DE-
CHAUSSÉE**
Les meubles
noirs sont
à décor
imprimé.
La cheminée
en filigrane,
de fabrication
allemande, est
bien assortie
au cadre qui
la surmonte.

Revêtement
en écorce
peinte imitant
la roche

Poupée
en biscuit

MON REPOS

— Allemagne probablement – v. 1890-1910 —

LE STYLE DE CETTE CHARMANTE PETITE MAISON est supposé correspondre à celui d'une villa de station balnéaire française de la fin du siècle dernier. L'espace intérieur ne comprend que deux pièces, lesquelles ne sont même pas reliées par un escalier. Mais il s'en dégage une impression de luxe et de confort, due en grande partie au splendide papier mural qui reprend dans chaque pièce les mêmes motifs décoratifs, mais en deux couleurs différentes (rouge et vert). Par effet de contraste, l'extrême simplicité du panneau intérieur des portes paraît presque choquante. Les fenêtres, en revanche, sont très soignées, notamment celles de l'étage et du rez-de-chaussée, qui sont vitrées et pourvues de stores vénitiens.

Doublage du store vénitien

Rideaux maintenus par des embrasses en métal doré

Repli du papier « façon briques » de la façade

Intérieur de la porte sans finitions

Insolite couleur orange bordée de marron

Store vénitien en papier vert

Porte du balcon pouvant s'ouvrir

Toit de la fenêtre en rotonde peint comme celui de la maison

Perron en bois peint

Rideaux et cantonnière bordés de dentelle

Porte s'ouvrant vers l'intérieur

FAÇADE

Mon Repos, qui ne porte aucune étiquette de marque, a été conçue pour satisfaire aux exigences spécifiques de l'exportation. Elle correspond bien au style de son époque, mais avec certaines libertés : la façade donne ainsi l'impression que l'espace intérieur est plus grand qu'il ne l'est en réalité.

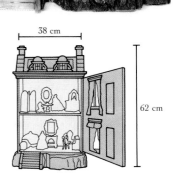

38 cm

62 cm

Bois peint et tapissé de papier, façade ouvrante

MAISON HACKER

— *Allemagne – années 1890* —

L A FIRME CHRISTIAN HACKER, de Nuremberg, fut fondée dans les années 1870, mais cette maison de poupées a sans doute été réalisée plus tard. C'est une variante à deux étages d'un modèle qui n'en comportait généralement qu'un seul. Le second étage présente d'ailleurs certaines particularités (il est notamment le seul à comporter des fenêtres latérales) laissant supposer qu'il s'agit d'un apport plus tardif, facile à mettre en place car le toit est amovible.

Certaines parties du revêtement de sol en papier sont d'origine. Quant au papier mural, il est ancien dans les cinq pièces, mais pas d'origine. Il y a des portes de communication intérieures, mais aucun escalier. Les fenêtres sont vitrées, et les portes de la façade peuvent s'ouvrir.

Maison à trois casiers superposés

Fenêtre en saillie, à trois panneaux

Décoration en papier imprimé

Décalcomanie

Meuble Rock & Graner en fer à garnitures de soie

A l'origine, il y avait un balcon

Store en coton

Faux lambris en papier

Style décoratif typique de Christian Hacker

Dressoir sans sa base d'origine

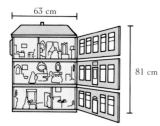

Structure en bois, façade à trois panneaux ouvrants

63 cm

81 cm

FAÇADE

Le décor de la façade des deux niveaux inférieurs est à base de décalcomanies, alors que celui du second étage est imprimé. La porte extérieure du premier étage s'ouvrait à l'origine sur un petit balcon.

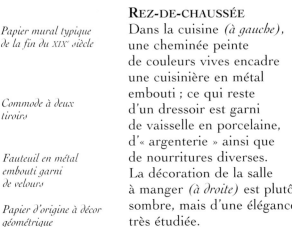

*Toit amovible
en bois peint*

*Charnières du second étage
plus petites que les autres*

*Cantonnière
en passementerie
dorée*

*Portrait de la reine
Alexandra
de Grande-Bretagne
dans un cadre doré*

Berceau en vannerie

*Cadre en métal
embouti et doré*

*Charnières des niveaux
inférieurs plus grandes*

*Chapeau assorti
à la longue robe
à traîne*

*Buffet à décor
très coloré*

*Papier mural typique
de la fin du XIXᵉ siècle*

*Commode à deux
tiroirs*

*Fauteuil en métal
embouti garni
de velours*

*Papier d'origine à décor
géométrique*

SECOND ÉTAGE

Les deux pièces s'ouvrant
à cet étage sont aménagées
en chambres, avec une porte
de communication. Chacune
d'elles comporte une fenêtre
latérale en saillie. Bien que
le mobilier provienne pour
une très grande partie
de Waltershausen, son
élément le plus intéressant
est le lit Rock & Graner
de la chambre de gauche.
A noter aussi, dans l'autre
chambre, l'amusant service
de bain en fer rose et noir.

PREMIER ÉTAGE

Un salon occupe la totalité
de cet étage. Il est très
élégamment aménagé,
avec du mobilier à décor
imprimé, auquel s'ajoutent
plusieurs éléments Rock
& Graner à garnitures
en soie, dont un joli sofa
sur lequel est posée
une minuscule revue
de mode.

REZ-DE-CHAUSSÉE

Dans la cuisine (*à gauche*),
une cheminée peinte
de couleurs vives encadre
une cuisinière en métal
embouti ; ce qui reste
d'un dressoir est garni
de vaisselle en porcelaine,
d'« argenterie » ainsi que
de nourritures diverses.
La décoration de la salle
à manger (*à droite*) est plutôt
sombre, mais d'une élégance
très étudiée.

MOBILIER ALLEMAND

CETTE MAISON HACKER présente divers types de meubles en miniature de la seconde moitié du XIXᵉ siècle. Les premiers que l'on remarque sont les modèles décorés de chromolithographies aux vives couleurs. Mais le mobilier Rock & Graner (sofa, table à pied central, lit à baldaquin) est également d'un grand intérêt pour le collectionneur, de même que celui de Waltershausen, avec notamment le piano du premier étage et la commode à dessus de marbre de la petite chambre du haut.

Dossier orné de chromolithographies

Panneau couvert de papier décoratif

Cupidon, version 1880

Braises et fumée peintes

Siège rembourré à garniture de velours

CHEMINÉE
(À GAUCHE)
Son ornementation en métal ajouré peint en doré met particulièrement bien en valeur le foyer central.

Porte pouvant s'ouvrir

Panneau légèrement incurvé

DRESSOIR *(CI-DESSOUS)*
Sans doute s'agit-il de la partie haute d'un meuble dont la base a aujourd'hui disparu. La plus grande partie de son contenu vient de Thuringe.

VIVES COULEURS
(CI-DESSUS) Ces meubles en bois ordinaire ont été transfigurés par l'application d'un simple papier décoré de chromolithographies.

Pichet d'un modèle courant

Boîte allemande en bois

Pichet vernissé

Photographie du roi Édouard VII

Bois peint et vernis

Fruits en plâtre peint

Sandwiches moulés et peints avec le plat

Assiettes en bois peint

Coupe en métal ajouré

Découpe typique du style Hacker

Service à boissons en métal peint

Roses
en métal peint

Imitation de bois
de rose à décor doré

Siège en soie,
avec une
bordure en
papier doré

Décoration par
chromolithographie

MOBILIER WALTERSHAUSEN
Le secrétaire et la commode ont
été réalisés à Waltershausen, en
Thuringe, par la maison
Schneegas, spécialisée
dans l'imitation du bois
de rose.

Broc et cuvette
en porcelaine

Commode à dessus de marbre
servant de toilette

Clavier
à touches
inversées

Panneau
décoratif rose
à bordure dorée

MODE ALLEMANDE DU XIXᵉ SIÈCLE

CINQ POUPÉES ALLEMANDES sont présentes dans cette
maison, dont l'une, la « dame au chapeau bleu », figure
sans doute une visiteuse. La plupart sont vêtues avec
recherche, notamment celles qui sont dans le salon
(ci-dessous, à gauche et à droite). Trois d'entre elles ont
un même modèle de tête en biscuit à chevelure blonde
moulée et peinte ; les deux autres (la « visiteuse » et le
laquais) ont une tête en porcelaine à chevelure brune.
Le bas des bras et des jambes est également en biscuit.
Le corps est en chiffon, avec des articulations cousues.

Coiffure à moulage
très élaboré

Tête et bas
des membres
en biscuit

Robe à la mode
des années 1870

Lourd
échafaudage
de plis

Même tête
que la poupée
de gauche

Tailleur
uni bordé
de velours

Tête en porcelaine
vernissée

Petit chapeau
fixé sur la tête

Robe
à broderies
et traîne
bleues

THE PRETTY VILLAGE

États-Unis, production McLoughlin Brothers, New York – 1897

SURTOUT CONNUE POUR SES MAISONS EN CARTON à superbe décoration intérieure, la firme McLoughlin Brothers lança The Pretty Village sur le marché en 1897. Vendus dans de jolis coffrets à couvercle illustré *(voir page 73)*, tous les ensembles de cette série connurent aussitôt un très grand succès.

La construction de ce « joli village » était très simple : il suffisait de découper les maisons, de les plier et de les coller, puis de les mettre en place selon le plan indiqué ou tout simplement au gré de ses propres préférences.

Bien que toutes ces maisons soient de petites dimensions et uniquement imprimées à l'extérieur, les enfants pouvaient s'amuser pendant des heures à les construire, puis à les disposer. Le village partiellement représenté ici comprend huit maisons, auxquelles s'ajoutent divers bâtiments, en particulier un hôtel, une caserne de pompiers, un chalet en rondins et un studio de photographe. Il est à noter que The Pretty Village est uniquement peuplé de figurines d'enfants.

COTTAGE *(CI-DESSUS)*
La petite fille semble heureuse et appliquée, comme tous les enfants du Pretty Village.

9 cm

9 cm

Aucun accès à l'intérieur, décor imprimé sur carton

MURS EN PLANCHES *(CI-DESSOUS)* La maison a un toit en ardoise, des balcons et une véranda.

Enfant pêchant à la ligne près du hangar

HANGAR À BATEAUX *(CI-DESSOUS)*
Il est bâti sur pilotis au bord d'une rivière.

SERRE *(CI-DESSOUS)*
Sous la verrière figurent toutes sortes de plantes à fleurs multicolores.

Clocher

Languette à plier et à coller

Façade et mur latéral

Toit du clocher

Mur orné d'une frise « sculptée »

Enfants en tenue du dimanche pour aller à l'église

Façade arrière et mur latéral

Languette de fixation insérée dans une fente du toit

Fenêtre mansardée

AVANT *(CI-DESSUS)*
On voit ici la planche de l'église avant qu'elle soit découpée, pliée et collée.

APRÈS *(CI-DESSOUS)*
Une fois montée, avec son clocher, l'église domine le village.

HÔTEL *(CI-DESSOUS)*
Quinze enfants sont représentés le long des murs ou aux fenêtres de cet hôtel.

*Canoë fait
à la main*

*Tête de cerf
en lithographie*

*Charnières
du toit ouvrant*

CANOË ET CHIEN

(CI-DESSUS) Le canoë est
en écorce de bouleau
sur une armature en bois.
Le chien est recouvert
de peau peinte.

*Fenêtre
sans vitre*

*Toit peint
en imitation
de bardeaux*

*Base du toit fixée
aux murs*

ÉTAGE

Une seule pièce est visible,
mais il y a également un
grenier avec une fenêtre
sous la partie mobile
du toit.

*Simples
meubles
en bois courbé*

*Petit chien
en plastique*

REZ-DE-CHAUSSÉE

La pièce principale
et la cuisine ont chacune
une porte à charnières,
une fenêtre et un tapis
de sol.

*Papier mural
imitant
le bois*

FEU DE CAMP

(CI-DESSOUS)
La marmite est suspendue
à un trépied au-dessus
de « bûches » en écorce
de bouleau.

*Pagaie
en bois
posée contre
le mur*

*Marmite
suspendue à
un trépied*

*Flanelle
découpée
en forme de
peau de bête*

*Poupée à tête et membres
en biscuit*

*Corbeille remplie
de « bûches »
en écorce*

ADIRONDACK COTTAGE

—— États-Unis, sans doute une production Bliss — 1904 ——

Indien couché formant poignée

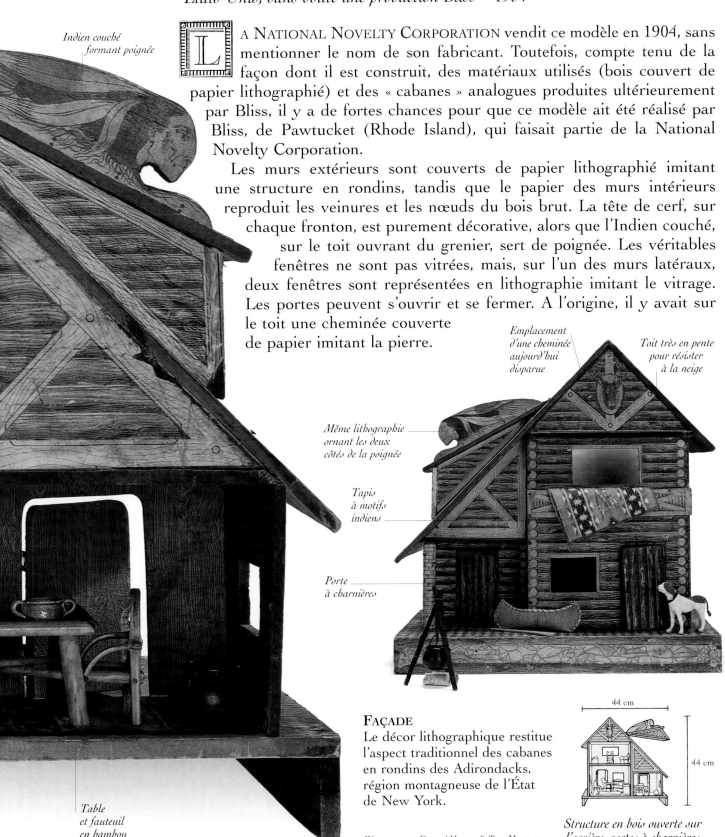

LA NATIONAL NOVELTY CORPORATION vendit ce modèle en 1904, sans mentionner le nom de son fabricant. Toutefois, compte tenu de la façon dont il est construit, des matériaux utilisés (bois couvert de papier lithographié) et des « cabanes » analogues produites ultérieurement par Bliss, il y a de fortes chances pour que ce modèle ait été réalisé par Bliss, de Pawtucket (Rhode Island), qui faisait partie de la National Novelty Corporation.

Les murs extérieurs sont couverts de papier lithographié imitant une structure en rondins, tandis que le papier des murs intérieurs reproduit les veinures et les nœuds du bois brut. La tête de cerf, sur chaque fronton, est purement décorative, alors que l'Indien couché, sur le toit ouvrant du grenier, sert de poignée. Les véritables fenêtres ne sont pas vitrées, mais, sur l'un des murs latéraux, deux fenêtres sont représentées en lithographie imitant le vitrage. Les portes peuvent s'ouvrir et se fermer. A l'origine, il y avait sur le toit une cheminée couverte de papier imitant la pierre.

Emplacement d'une cheminée aujourd'hui disparue

Toit très en pente pour résister à la neige

Même lithographie ornant les deux côtés de la poignée

Tapis à motifs indiens

Porte à charnières

FAÇADE
Le décor lithographique restitue l'aspect traditionnel des cabanes en rondins des Adirondacks, région montagneuse de l'État de New York.

Table et fauteuil en bambou

44 cm

44 cm

WASHINGTON DOLLS' HOUSE & TOY MUSEUM

Structure en bois ouverte sur l'arrière, portes à charnières

MAISON BLISS

— États-Unis, production Bliss, de Pawtucket – vers 1904 —

RUFUS BLISS FONDA, EN 1832, la Bliss Manufacturing Company, qui se spécialisa dans la fabrication d'accessoires en bois pour pianos. Quand il prit sa retraite, en 1863, son entreprise s'orienta vers la production de jouets, et notamment de maisons de poupées qui firent sa célébrité entre 1890 et 1914. De 1903 à 1907, Bliss et d'autres fabricants de jouets américains s'associèrent sous le label National Novelty Corporation. Par la suite, Bliss poursuivit ses activités avec toujours autant de succès : le modèle présenté ici était encore vendu en 1920, ce qui témoigne autant de sa popularité que de la réputation de son fabricant.

Outre des maisons de poupées (allant de la cabane de trappeur à la résidence citadine), Bliss produisit également des boutiques, des écuries, et même une caserne de pompiers et un fort. Tous ces modèles, comme les maisons de poupées, étaient construits en bois avec un revêtement extérieur en papier à décor lithographique.

ÉTAGE
L'aménagement intérieur est simple, avec une seule pièce à l'étage, sans escalier. L'aspect disproportionné du papier mural intérieur contraste avec les lithographies extérieures, qui sont à l'échelle de l'ensemble.

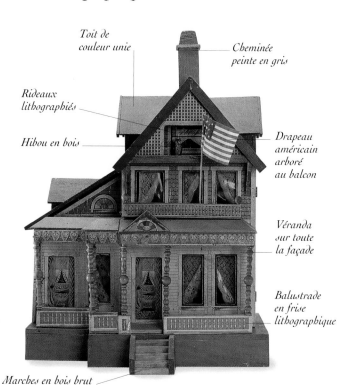

Toit de couleur unie

Cheminée peinte en gris

Rideaux lithographiés

Hibou en bois

Drapeau américain arboré au balcon

Véranda sur toute la façade

Balustrade en frise lithographique

Marches en bois brut

LOGO *(CI-DESSUS)*
Le nom de Bliss figure en deux endroits : sur la porte d'entrée et au fronton du porche.

REZ-DE-CHAUSSÉE
La porte d'entrée s'ouvre sur une pièce garnie de deux meubles et qu'une porte fait communiquer avec la cuisine.

Une lucarne sur un toit d'ardoises

Porte extérieure de la cuisine

Pan de mur pouvant s'ouvrir

Poupée à tête en biscuit

15 cm

23 cm

Bois à décor lithographique, façade et mur latéral s'ouvrant

FAÇADE
Les maisons Bliss sont extrêmement réputées pour la minutie et la belle qualité de leur décor lithographique extérieur. La façade très détaillée de ce modèle contraste avec la grande simplicité que l'on trouve à l'intérieur.

Aucun accès
à la pièce
du grenier, signalé
par une fenêtre
lithographiée

Haute
cheminée
en bois

Papier
aux motifs
disproportionnés

Rebord de toit
en saillie
sur la façade

Canapé en bois
tapissé de papier

Pied en bois tourné

Chaise
à décor
lithographique

MOBILIER
(CI-DESSUS)
Le mobilier
de cette
maison est en bois
entièrement décoré
de lithographies, et
comprend quatre
chaises, un piano
et un canapé.

Balcon
à balustrade
surplombant
la véranda

Rideaux en filet
sur des vitres
en mica

Pilier en bois
tourné

Valise
en fer-blanc

Socle épais, typique
des maisons Bliss

WASHINGTON DOLLS' HOUSE & TOY MUSEUM

— 91 —

INTÉRIEUR
Les quatre pièces
sont tapissées de papier
à motifs « modernes »,
auxquels s'ajoutent des
cheminées et des effets
de perspective en trompe
l'œil. Un escalier en bois
à double volée dessert
les deux pièces du haut.

*Cheminée
en bois, peinte
en imitation
de ciment*

*Fenêtre vitrée
ne s'ouvrant pas*

*Panneau
ouvrant*

*Mobilier en carton comprimé
de Moritz Gottschalk*

*Salle de bains
en trompe l'œil*

*Escalier
en bois*

*Fausse cheminée
en trompe l'œil*

Bungalow Schoenhut

— États-Unis, production A. Schoenhut – 1917 —

ALBERT SCHOENHUT QUITTA L'ALLEMAGNE pour les États-Unis en 1867, à l'âge de 17 ans. Né dans une famille de fabricants de jouets du Wurtemberg, il poursuivit cette tradition en fondant sa propre entreprise à Philadelphie, en 1872. En 1917, alors que cette manufacture était déjà bien connue pour ses poupées en bois et ses jouets musicaux, elle se lança dans une nouvelle gamme de produits : les maisons de poupées.

Les « bungalows » de Schoenhut, qui reproduisaient un type de petites résidences secondaires très en vogue à l'époque, connurent rapidement le succès. Leur conception s'inspirait des dernières tendances contemporaines en matière d'architecture et de décoration d'intérieur, et faisait appel à des effets de trompe-l'œil. Puis, vers le milieu des années 1920, Schoenhut changea de style en produisant des maisons agrémentées à l'extérieur de volets et de bacs à fleurs, mais sans effets de trompe-l'œil à l'intérieur.

Carton comprimé, embouti et peint en imitation de tuiles

Charnières de l'avant du toit

Rideaux en dentelle

Fenêtre vitrée à châssis en bois peint

Escalier

ILLUSIONS (*CI-DESSUS*)
Les effets de trompe-l'œil sont si bien réussis qu'il n'est pas toujours facile de distinguer le vrai du faux.

Porte vitrée s'ouvrant vers l'intérieur

Pilier en bois tourné peint

FAÇADE
Une élégante véranda à balustrade précède un mur en fausses pierres extrêmement bien imitées. A l'étage, une fenêtre mansardée.

Marches en bois fixées au socle

Socle en imitation de maçonnerie

58 cm

50 cm

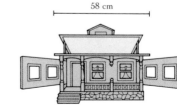

Façade fixe, panneaux ouvrant sur les côtés ; avant du toit se soulevant

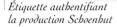

Étiquette authentifiant la production Schoenhut

MAISON HOBBIES

Angleterre, d'après un plan de Hobbies – v. 1926

C ERTAINES MAISONS DE POUPÉES apparemment identiques ne relèvent pas pour autant d'une production commerciale en série. Pendant des années, les magazines mensuels édités par Hobbies de Dereham inclurent d'excellents plans de maisons en modèles réduits. Ceux-ci ne manquèrent pas de séduire de nombreux bricoleurs qui réalisèrent ainsi, chacun chez soi, des modèles à peu près identiques — le plus souvent pour les offrir à des enfants à l'occasion de Noël ou d'un anniversaire. C'est d'après de tels plans que fut construite la maison que l'on voit ici. En 1926, Hobbies proposa en outre à ses lecteurs des plans de meubles à l'échelle de ses maisons.

Cheminée latérale

Fenêtre vitrée à croisillons

Porte et auvent en bois verni

Porte à charnières

Bouton-pression figurant la sonnette

Marches en bois peint

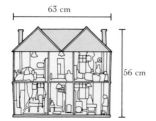

63 cm

56 cm

Modèle ouvert sur l'arrière, bois, portes à charnières

FAÇADE
L'extérieur de la maison est couvert de papiers (fournis par Hobbies) imitant toit en tuiles, murs en briques et colombages, dans le style des pavillons des banlieues anglaises de l'époque.

Miroir à cadre hexagonal en bois

Seau à charbon en cuivre, près de la cheminée

Bibliothèque en bois

Papier Hobbies
imitant
les tuiles

Cheminée en bois
couverte de papier

Fronton aveugle

Ampoules électriques
dans toute la maison

ÉTAGE

On y trouve une grande chambre, une salle de bains (avec une baignoire en porcelaine, visible par la porte ouverte) et un salon. Le mobilier de la chambre est dû à Elgin, qui produisit des meubles de maisons de poupées de 1919 à 1926.

Poupée allemande
à tête, mains et pieds
en métal peint

REZ-DE-CHAUSSÉE

Une entrée (avec un placard sous l'escalier) sépare la cuisine de la salle à manger ; toutes deux sont équipées d'une cheminée dont la hotte se prolonge jusqu'au conduit du toit.

Papier en imitation
de carrelage mural

Cuisinière à gaz en métal
des années 1930 (Taylor
& Barrett, Londres)

Placard à balais
encastré sous
l'escalier

Cloison mince,
mais rigide

Tête et mains
en céramique,
robe d'origine

Évier en bois
à robinets en métal
(E. Lehman & Co.)

MAISON HAMLEYS

—— Angleterre, production Lines Brothers – v. 1929 ——

'EST EN 1929 QUE LINES LANÇA CE MODÈLE, de style composite, associant un toit de chaume et des colombages « à l'ancienne » à un garage intégré. Ce dernier, toutefois, fut souvent transformé en cuisine (c'est le cas ici), dont l'absence paraissait intolérable aux jeunes utilisateurs de cette maison de poupées qui, pour le reste, eut beaucoup de succès. La façade est trompeuse, dans la mesure où elle donne l'impression qu'il y a un grenier sous le toit. En fait, il n'y a qu'un seul étage, dont la pièce principale est une chambre. A noter également que la salle de bains, absente dans le modèle d'origine (comme la cuisine) a été aménagée ici à la place du palier. La structure d'ensemble est très robuste, avec une façade à trois panneaux ouvrants et une ouverture supplémentaire sur l'arrière, ce qui facilite la mise en place du mobilier. Comme l'indique son étiquette, cette maison était commercialisée par le magasin de jouets Hamleys, de Londres.

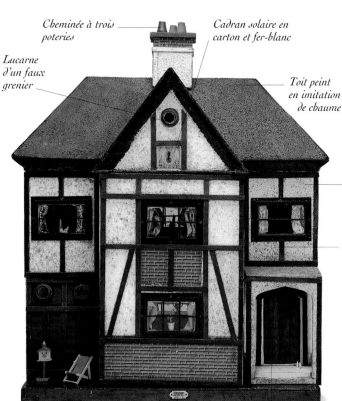

Cheminée à trois poteries

Cadran solaire en carton et fer-blanc

Lucarne d'un faux grenier

Toit peint en imitation de chaume

Peinture en imitation de torchis

Papier peint spécial pour maisons de poupées (1950)

« Poutres » clouées

Minuscule poupon en biscuit

ÉTAGE Tout le mobilier est en bois, à l'exception de la baignoire, qui est en métal peint. Les poupées, en céramique peinte, sont allemandes.

REZ-DE-CHAUSSÉE
Le garage d'origine a été transformé en cuisine. La pièce principale – une salle à manger – est meublée dans le style des années 1930, avec des fauteuils en moleskine de E. Lehman & Co.

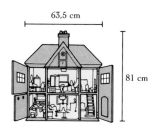

63,5 cm

81 cm

Façade à panneaux et panneau central arrière ouvrants

Étiquette : « Hamleys, 200-202 Regent Street, London W.1 »

Porte en bois sous voûte cintrée

FAÇADE
En dépit de son aspect hétéroclite, associant torchis et colombages, briques et chaume, ce modèle eut beaucoup de succès. Peut-être que les acheteurs adultes y voyaient une amusante caricature du « faux ancien » qui sévissait alors dans les banlieues.

Base de
la cheminée
s'emboîtant
sur les arêtes
du toit

Comble à lucarne
et cadran solaire

BUREAU *(À DROITE)*
Sur ce meuble en papier
mâché vernissé sont
disposés un tampon
buvard en verre, un
encrier avec des
flacons d'encre
et un bougeoir.

Couverture décorée à la main

RADIOS
(CI-DESSOUS)
Les deux postes que l'on
voit ici sont typiques
des années 1930. Celui
du haut, avec ses cadrans
en papier imprimé, est
en réalité un taille-crayon.

Balai
mécanique

Toilettes, chaise
et lavabo en bois

Taille-crayon
« radio »
en plastique

Cadran et boutons
imprimés

Couvercle articulé

Véritable disque
miniature

GRAMOPHONE
(CI-DESSUS, À DROITE)
Plateau, bras et manivelle
sont tous mobiles. Le disque,
dans sa pochette « La Voix
de son maître » (milieu des
années 1920), joue l'hymne
national britannique.

MAISON CHURCH HILL

— *Angleterre, production Lines Brothers – 1939* —

Fenêtre à monture métallique

A U XXe SIÈCLE, LA CONCEPTION des maisons de poupées s'est inspirée plus souvent des styles du passé que de l'architecture contemporaine. Lines Brothers produisit pourtant plusieurs modèles « ultra-modernes » qui furent très appréciés par sa clientèle. Tel est le cas de la Maison Church Hill, qui figurait sous le numéro 52 dans le catalogue Tri-ang Toys de 1939.

Cet exemplaire fut acheté en janvier 1940 par un Londonien qui s'apprêtait à prendre les mesures nécessaires pour protéger sa véritable demeure des raids de bombardements qui marquèrent cette période de guerre. Il aménagea sa maison de poupées de la même façon, c'est pourquoi l'on y trouve, notamment, des croisillons de papier sur les vitres pour éviter les projections de verre brisé et des rideaux opaques aux fenêtres, comme le prescrivait la Défense passive.

FAÇADE
Les lignes sobres et le toit en terrasse sont typiques du style des années 1930, de même que les couleurs, crème et vert, et les fenêtres à monture métallique. L'abri anti-aérien ajoute une note d'authenticité historique à l'ensemble.

ÉTAGE
La pièce principale est une chambre à coucher équipée d'un poêle à pétrole. Les seaux de sable et les rideaux noirs font partie des mesures de sécurité en prévision des raids de bombardements.

Cheminée amovible

Véranda-solarium s'ouvrant sur l'arrière

Papier collant sur les vitres

Rideaux à carreaux dans la cuisine

REZ-DE-CHAUSSÉE
Le garage (*à gauche*) a été aménagé en une cuisine qui communique avec la salle à manger. Les lits des enfants ont été installés sous l'escalier, par mesure de sécurité.

79 cm

58 cm

Abri anti-aérien en papier ondulé argenté

Porte en bois à garnitures en laiton

Structure en bois, façade ouvrante

Socle creux peint en imitation de dallage

Solarium amovible
renfermant une pile
électrique

Cheminée typique
des années 1930

Sentinelle
de la Défense
passive

Chaise en bois
et tapisserie

Rideaux
opaques

Lampe à pétrole
et bougies, en cas
de panne d'électricité

Table de salle
à manger ovale
en bois

Téléphone d'après
guerre, à la place
de celui d'origine

Lits des enfants sous l'escalier,
à côté d'un cabinet de toilette
de fortune

MOBILIER 1940

CERTAINS MEUBLES DU REZ-DE-CHAUSSÉE ont conservé leur étiquette de prix : 1 shilling et 3 pence pour la table de la salle de séjour, 8 pence pour chacune des chaises assorties. Parmi les autres objets achetés tout faits, citons le poste de radio et la table roulante en métal, ainsi que le réfrigérateur de la série Dol-Toi. Le mobilier de la chambre, en revanche, est de « fabrication maison », de même que le berceau en dentelle (sous l'escalier), réalisé par la jeune propriétaire de la Maison Church Hill.

Poignée en métal mobile

Porte-assiettes amovible

Œuf peint dans la poêle

Porte mobile, à charnières

POÊLE À PÉTROLE
(CI-DESSUS) Ce poêle en métal assure le chauffage dans la chambre, où la cheminée est occultée par un écran.

CUISINIÈRE
(CI-DESSUS, À DROITE) Cette cuisinière à gaz en métal, de Taylor & Barrett, est peinte en blanc, à l'exception de la porte du four, de la grille et du porte-assiettes.

Miroir ovale à bord biseauté

Brosses et petit miroir à monture en « argent »

Ensemble en verre à rayures blanches

Plateau en bois verni

Napperon en coton imprimé

TABLE ROULANTE *(À DROITE)*
Ce petit meuble monté sur roulettes est réalisé en métal peint. Il porte une étiquette d'importation.

COIFFEUSE
(CI-DESSUS)
Fabriqué avec des chutes de bois, ce petit meuble a un tiroir qui peut s'ouvrir et se fermer.

Casserole à couvercle en métal peint (années 1950)

Gâteaux en métal peint

Plante en perles montées sur fil de fer

DANS LA CUISINE
(CI-DESSOUS)
Ces trois éléments en bois sont de la même série (vers 1945). Le réfrigérateur porte encore l'étiquette « Dol-Toi ».

Évier en bois à robinets en métal

Lavabo en bois à robinets en métal

POUPÉES DU TEMPS DE GUERRE

LES QUATRE POUPÉES DE CETTE MAISON, importées d'Allemagne, sont en céramique et articulées aux épaules et aux hanches (sauf le bébé du berceau bleu, dont les hanches sont fixes). Typiques des années 1930, elles marquent la transition entre les délicates poupées en biscuit des périodes précédentes et les modèles en plastique de l'après-guerre. Le moulage des mains et des traits du visage est assez rudimentaire. Les poupées de ce genre se vendaient souvent par séries thématiques : membres de la famille, militaires en uniformes, etc. Celles-ci, toutefois, ont été achetées individuellement.

FEMME *(À GAUCHE)*
A l'origine, cette poupée portait une robe. Par la suite, elle a été revêtue d'une grande combinaison du type de celles que les Londoniennes portaient couramment pendant la guerre.

Combinaison d'un seul tenant

Sacoche de masque à gaz en carton, portée en bandoulière

Service préparé pour l'abri anti-aérien

Thermos en métal à gobelet amovible

Plateau en bois

Escabeau articulé

Poubelle remplie de sable

Seau à eau en cas d'incendie

MASQUE À GAZ ET PAPIERS OFFICIELS
(À DROITE) Le masque à gaz est d'origine. Les deux cartes de rationnement et la carte d'identité bleue, en revanche, sont des reproductions datant de l'après-guerre.

Carte de rationnement

Masque à gaz fabriqué avec du papier et du talc

HOMME *(CI-DESSOUS)*
Une poupée ordinaire a été transformée en sentinelle de la Défense passive anglaise, comme l'indiquent son brassard « A.R.P. » (Air Raid Protection) et son casque en fer-blanc.

Casque en fer-blanc de fabrication « maison »

Poupée en céramique pouvant tenir debout

Grosse pelle récupérée dans un autre ensemble

Costume en feutre bleu acheté tout fait

Chaussures moulées et peintes

Sable pour étouffer les débuts d'incendie

MAISON MODERNE

Angleterre, conception et réalisation Christopher Cole – années 1970

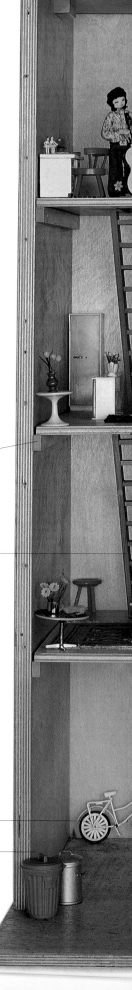

BIEN QUE L'ON TROUVE COURAMMENT DANS LE COMMERCE d'excellentes reproductions en miniature de meubles contemporains, beaucoup plus rares sont les maisons de poupées qui s'inspirent de l'architecture actuelle. Ce très insolite modèle des années 1970 fut conçu et réalisé par le Dr Christopher Cole, un médecin généraliste qui se lança dans la construction de maisons de poupées, d'abord à temps partiel, puis à plein temps pour occuper sa retraite.

Cette maison, qui se vendait en kit, a une structure en contreplaqué légèrement verni, avec des vitrages en plastique transparent sur la façade et l'un des murs latéraux. Aux étages, les planchers sont amovibles, de même que les cloisons et les escaliers, de façon à pouvoir modifier à volonté l'organisation des espaces intérieurs. En dépit de sa novatrice ingéniosité, cette maison de poupées n'eut guère de succès auprès de la jeune clientèle à laquelle elle était destinée, et l'on n'en vendit qu'un très petit nombre d'exemplaires.

Panneaux vitrés incorporés à la structure de base

Intérieur des pièces visible de l'extérieur

Hall d'entrée à façade « vitrée »

Coccinelle Volkswagen 1949, fabriquée par la firme française Solido

Plancher reposant sur des tasseaux

Escaliers des étages amovibles

Bicyclette en métal à roues en caoutchouc, fabriquée en Chine vers 1950

Partie ouverte faisant office de garage

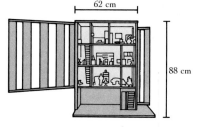

62 cm

88 cm

Bois et plastique, façade et panneau latéral articulés

FAÇADE
Les bandes verticales du « vitrage » en plastique, traversées par les lignes horizontales des étages, composent un ensemble de conception résolument moderne. La partie ouverte du rez-de-chaussée peut s'aménager en garage.

*Panneau
vitré allant
du toit
au sol*

*Murs
et cloisons en
contreplaqué
verni*

*Cloison
à chevilles
amovibles*

*Chaise Brio
en plastique
et métal*

*Plancher
pouvant
se retirer*

*Télévision
et électrophone
de chez Lundby*

*Escalier
menant au
rez-de-
chaussée*

*Escalier
soutenu par
des chevilles*

*Bande
en plastique
noir servant
de poignée*

TROISIÈME ÉTAGE
La salle de bains *(au centre)*
est garnie d'éléments
Lundby. Elle communique
avec deux autres pièces ;
une chambre *(à droite)*,
avec du mobilier en bois
et en plastique, un palier
(à gauche), aménagé
en « coin jeune » avec
du mobilier Hansi.

DEUXIÈME ÉTAGE
Les cloisons ont été
disposées de façon à créer
une vaste salle à manger
entre le palier et une petite
cuisine. Le mobilier est
scandinave et réalisé
essentiellement en plastique,
avec quelques éléments
en bois dans la cuisine
(Hansi). Le rayonnage
façon bois de la salle
à manger est de chez Brio.

PREMIER ÉTAGE
Une seule pièce occupe
cet étage, les deux espaces
latéraux faisant office
de paliers. Il s'agit d'une
salle de séjour, s'ouvrant
des deux côtés par des
portes voûtées et garnie
de meubles Brio.

REZ-DE-CHAUSSÉE
Le hall d'entrée *(à droite)*
est muni d'une porte mobile
et d'un panneau vitrés.
Une voiture, une bicyclette
et des poubelles occupent
l'espace vide faisant office
de garage *(à gauche)*.

*Socle plus large
de ce côté, à cause
du panneau mobile*

*Socle en épais
contreplaqué,
comme les murs*

STYLE SCANDINAVE

LE MOBILIER DE CETTE MAISON correspond bien au style fonctionnel qu'aurait choisi une famille professionnellement active des années 1970. La plupart de ses éléments sont des productions scandinaves, provenant des firmes suédoises Lundby et Brio ou de la firme danoise Hansi. Cette dernière utilisait essentiellement du bois et du textile. Les deux autres, en revanche, avaient une gamme de matériaux plus étendue, incluant notamment du plastique moulé.

Fleurs dans un pot en plastique

Métal et plastique moulé

Service en bois allemand

Cafetière en plastique

Table en bois anglaise

TABLE ET CHAISE
(CI-DESSUS)
Sur la petite table en bois, la cafetière et le pot de fleurs sont en matière plastique. La chaise en métal et plastique est de Brio.

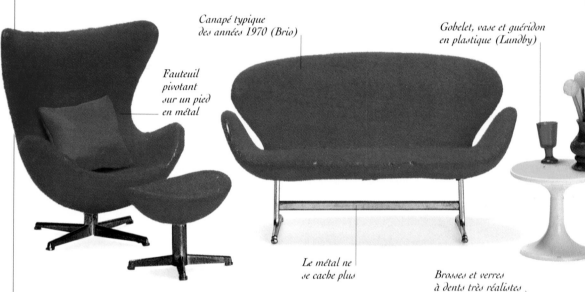

Canapé typique des années 1970 (Brio)

Gobelet, vase et guéridon en plastique (Lundby)

Fauteuil pivotant sur un pied en métal

Le métal ne se cache plus

CONFORT
(À GAUCHE)
Ces meubles sont typiques des ensembles produits par Brio dans les années 70 et 80, sous l'influence du designer Arne Jacobsen.

SALLE DE BAINS *(CI-DESSOUS)*
Le souci du détail réaliste caractérise la production des modèles réduits Lundby depuis ses débuts, dans les années 1950.

Cabine de douche dans la salle de bains

Baignoire et carrelage

Brosses et verres à dents très réalistes

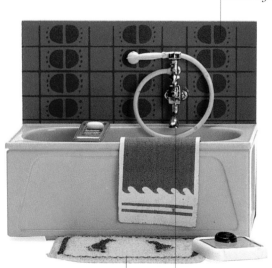

Tapis de bain, serviette et balance

Robinetterie très détaillée

Douche assortie à la baignoire

Lavabos jumeaux

Rasoir « électrique » en plastique

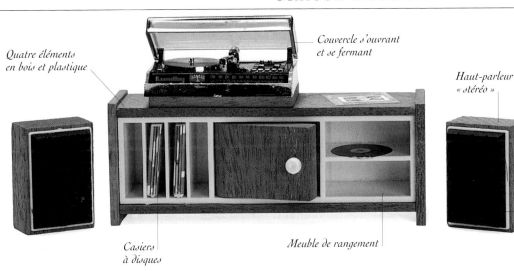

Quatre éléments
en bois et plastique

Couvercle s'ouvrant
et se fermant

Haut-parleur
« stéréo »

ÉLECTROPHONE
ET CASIERS À DISQUES
(À GAUCHE) La minutie
de ces reproductions est
d'un saisissant réalisme.
Beaucoup d'éléments sont
mobiles, comme le bras
de l'électrophone.

Grillage en plastique
moulé

Casiers
à disques

Meuble de rangement

UNE FAMILLE DES ANNÉES 1970

COMME LE MOBILIER, les habitants de cette maison de poupées reflètent fidèlement la mode de leur époque. Ils ont été réalisés par Barbara Cox, avec un corps et des membres flexibles couverts de jersey et des cheveux en laine. Chaque poupée a été conçue et vêtue en fonction du personnage qu'elle incarne. La famille se compose du père, de la mère et de son père âgé, d'un adolescent, de jeunes jumeaux (un garçon et une fille) et d'un bébé, avec en outre une jeune fille au pair. On peut voir ci-dessous le père, la jeune fille au pair, l'adolescent et la mère.

Chandail
à col roulé,
veste et
pantalon
en daim

Seule la veste
peut s'enlever

Aiguille
à tricoter
en acier

Chemise à fleurs
et pantalon évasé

Cheveux
en laine

Gilet en
daim et
combinaison
en velours

Corps
flexible
pouvant
prendre
n'importe
quelle
position

Fauteuil
Brio

Bottes
et mini-jupe

MAISON PLAYMOBIL

— Allemagne, production Geobra Brandstätter – depuis 1989 —

L A COMPAGNIE BRANDSTÄTTER, qui fabrique des jouets depuis les années 1930, est surtout connue pour ses jouets Hula Hoop (1958) et Playmobil (1974). Sa maison de poupées, lancée en 1989, fait partie de la série La Belle Époque conçue pour les petites filles, alors que les autres séries étaient plutôt destinées aux garçons. Comme son nom l'indique, il s'agit d'une maison de style 1900. S'inscrivant dans la tradition allemande des jouets éducatifs, elle est dotée d'un décor, d'un mobilier et d'accessoires qui correspondent tout à fait au début de ce siècle. Elle est peuplée de divers petits personnages que les enfants peuvent utiliser pour des jeux de rôles s'inspirant de cette même période.

FAÇADE
Elle est conçue dans le style d'une demeure allemande du début de ce siècle, avec une grande richesse de détails.

Plateforme en terrasse

Rampe s'encastrant le long des marches

Fenêtre formée de cinq éléments emboîtés

Panneau démontable

Porte-fenêtre à « charnières » en plastique

Sommet du porche formant balcon

Soupirail du faux sous-sol

69 cm

69 cm

Calèche attelée de deux chevaux

Plastique, arrière ouvert, portes et fenêtres ouvrantes

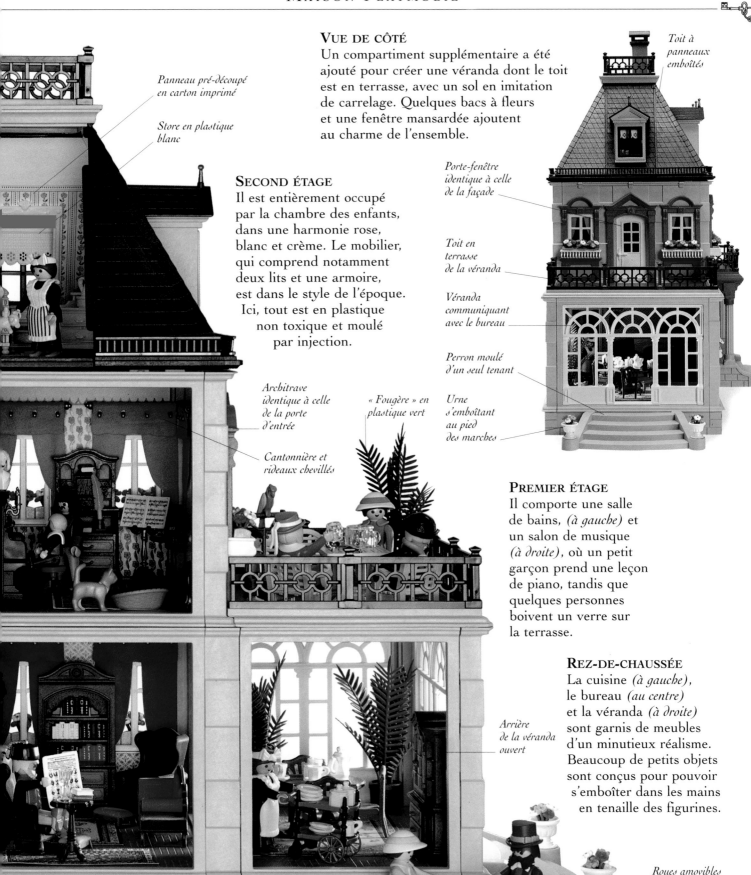

Panneau pré-découpé en carton imprimé

Store en plastique blanc

VUE DE CÔTÉ

Un compartiment supplémentaire a été ajouté pour créer une véranda dont le toit est en terrasse, avec un sol en imitation de carrelage. Quelques bacs à fleurs et une fenêtre mansardée ajoutent au charme de l'ensemble.

Toit à panneaux emboîtés

SECOND ÉTAGE

Il est entièrement occupé par la chambre des enfants, dans une harmonie rose, blanc et crème. Le mobilier, qui comprend notamment deux lits et une armoire, est dans le style de l'époque. Ici, tout est en plastique non toxique et moulé par injection.

Porte-fenêtre identique à celle de la façade

Toit en terrasse de la véranda

Véranda communiquant avec le bureau

Perron moulé d'un seul tenant

Architrave identique à celle de la porte d'entrée

« Fougère » en plastique vert

Urne s'emboîtant au pied des marches

Cantonnière et rideaux chevillés

PREMIER ÉTAGE

Il comporte une salle de bains, *(à gauche)* et un salon de musique *(à droite)*, où un petit garçon prend une leçon de piano, tandis que quelques personnes boivent un verre sur la terrasse.

REZ-DE-CHAUSSÉE

La cuisine *(à gauche)*, le bureau *(au centre)* et la véranda *(à droite)* sont garnis de meubles d'un minutieux réalisme. Beaucoup de petits objets sont conçus pour pouvoir s'emboîter dans les mains en tenaille des figurines.

Arrière de la véranda ouvert

Roues amovibles – de même que le bébé

playmobil® 1900

MOBILIER EN PLASTIQUE

La plupart des meubles et accessoires Playmobil sont vendus par ensembles thématiques (cuisine, salle de bains, etc.), comme ceux que l'on voit ici. Certains éléments, tel le piano, sont autonomes, tandis que d'autres sont fixés à un panneau mural. Quelques rares accessoires, tels des rideaux et des serviettes, ne sont pas en plastique, mais en textile.

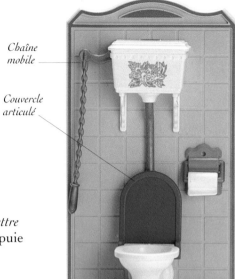

Chaîne mobile

Couvercle articulé

Tête Playmobil montée en buste

Applique dorée

BOÎTE À MUSIQUE
(CI-DESSOUS)
Le piano joue *La Lettre à Élise* quand on appuie sur le clavier.

Partition de Beethoven

Tabouret à siège tournant

Piano à couvercle mobile

Tapis en papier imprimé

Applique à monture dorée

SALLE DE BAINS
(CI-DESSUS)
Ces deux ensembles sont conçus afin de pouvoir éventuellement former des cloisons d'appoint. La cuvette des toilettes et la chaîne sont amovibles.

CUISINE *(CI-DESSOUS)*
Chacun de ces deux ensembles est fixé à un pan de mur, mais il comporte certains éléments amovibles, notamment les ustensiles de cuisine et le balai.

Rouleau à pâtisserie

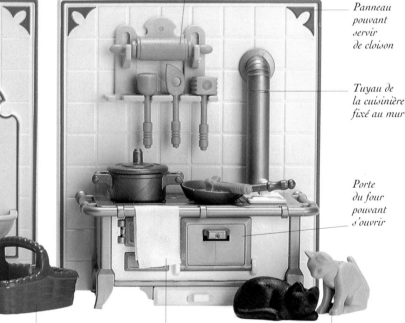

Chopes suspendues à des chevilles

Panneau pouvant servir de cloison

Tuyau de la cuisinière fixé au mur

Porte du four pouvant s'ouvrir

Balai, faisant partie de l'ensemble

Égouttoir garni d'« argenterie »

Panier en plastique moulé

Torchon en tissu blanc

Chat à tête mobile

LE PETIT MONDE DE PLAYMOBIL

LES POUPÉES PLAYMOBIL sont conçues pour offrir toutes garanties de sécurité, se manipuler facilement et séduire les enfants par leurs vives couleurs. Elles ont une tête amovible, peuvent se tenir debout, s'asseoir et tenir des objets dans leurs mains en tenaille. Leur conception, due au designer Hans Beck, s'inspire des « bonshommes » que dessinent les enfants. Selon les normes imposées par le fabricant, toutes les têtes sont identiques, de forme ronde, avec seulement des yeux et une bouche au dessin très simplifié ; ces traits du visage ne sont pas peints, mais fixés au moulage, si bien qu'ils ne peuvent pas s'effacer.

DOMESTIQUES (*À DROITE*)
Tous ces costumes correspondent à peu près à ceux du début de ce siècle, sauf pour ce qui est des couleurs.

Cocher en culotte et bottes rouges

FAMILLE (*CI-DESSOUS*)
Le corps de tous ces personnages est conçu sur le même modèle, celui des enfants étant tout simplement plus petit.

Cocher barbu et portant des lunettes

Coiffe amovible

Soubrette en tenue de service

Table roulante garnie de vaisselle

Femme de chambre en tenue du matin

Main en tenaille, typique de Playmobil

Musicien tenant une plume d'oie

Bras articulé à l'épaule

Grand-père portant une calotte d'intérieur

Écharpe verte sur gilet rouge

Perroquet pouvant se retirer du perchoir

Marque de fabrique visible sur la semelle

Corps pouvant se plier à la taille

playmobil
1900

MAISONS DE POUPÉES INSOLITES

Les possibilités qu'offrent les maisons de poupées semblent illimitées. C'est non seulement vrai sur le plan stylistique, mais aussi pour ce qui est des matériaux utilisés, qui vont du bois au plastique, du papier aux bâtons de sucette, voire à de la pâtisserie ou de la glace pour des modèles éphémères. Les modèles présentés ici proviennent de nombreux pays et correspondent à des époques diverses, qu'il s'agisse de simples jouets ou de pièces de collection.

LES CRÉATEURS DE MAISONS DE POUPÉES semblent n'avoir de cesse de lancer des défis à la réalité dont ils s'inspirent, s'employant à la surpasser. Et de fait, affranchis qu'ils sont de toute contrainte d'ordre pratique, ils peuvent faire appel à des matériaux de construction très divers tels que papier, allumettes, verre ou tubes métalliques, lesquels seront peut-être considérés comme de grands « classiques » par les collectionneurs de demain.

Quant aux chefs-d'œuvre éphémères utilisant des matériaux particulièrement insolites, nous n'en citerons que deux : l'un était la fidèle réplique d'une boucherie Christian Hacker, entièrement réalisée en massepain ; l'autre était une étincelante crèche délicatement et patiemment sculptée dans la glace au Canada et transportée par avion à Paris, où elle fut exposée à l'occasion de Noël dans une grande vitrine réfrigérée.

DES RARETÉS

Ce qui rend une maison de poupées particulièrement précieuse ne tient cependant pas tellement à ses matériaux de construction, mais plutôt à sa rareté. Pour la plupart des collectionneurs occidentaux, une maison de poupées japonaise est un modèle extraordinaire. Pourtant, bien qu'on n'en trouve pas souvent en dehors du Japon, il ne s'agit presque jamais de véritables pièces rares. La maison de poupées présentée aux pages 120-123, en revanche, est extrêmement insolite : du fait qu'elle a été conçue comme un jouet d'enfants, c'est un spécimen quasi unique, même au Japon. Pendant des siècles, les petits Japonais ont eu à leur

MAISON JAPONAISE
Mesurant à peine 19 cm de haut, ce délicat modèle réduit a sans doute été réalisé vers 1900. Il est entièrement en bambou, avec des panneaux mobiles montés sur glissières.

MAISON CANADIENNE (À DROITE)
Datant des années 1870, ce cabinet-maison de poupées à portes vitrées se compose de deux pièces principales reliées par un escalier et auxquelles s'ajoute un insolite grenier inaccessible, éclairé par des lucarnes en verre de couleur.

disposition toutes sortes de jouets, souvent très raffinés. Mais les modèles réduits de palais, de temples, de maisons ou de meubles laqués, dont les Japonais ont toujours aimé s'entourer, étaient uniquement destinés à être exposés : la maison de poupées en tant que jouet n'a jamais fait partie des traditions japonaises.

Une autre rareté asiatique est la maison de poupées tibétaine des pages 124-127, qui est sans doute le seul modèle de ce type en Europe. Comme son homologue japonaise, elle nous séduit par l'exotisme de son architecture et de sa décoration intérieure. Elle est pourtant très récente, puisqu'elle date des années 1980. L'un des rares exemplaires de maison de poupées russes qui est

exposé au Precinct Toy Museum de Sandwich, en Angleterre, est en revanche une pièce beaucoup plus ancienne et également plus rudimentaire. Haute de 46 cm, cette maison en bois est décorée de motifs traditionnels rouges et verts. On sait seulement qu'elle vient de Kirov, en Sibérie, et qu'elle fut sans doute amenée en Angleterre au moment de la révolution russe.

Souvent aussi, le charme d'une maison de poupées insolite tient à son pouvoir évocateur de lointains souvenirs. Ainsi, la maison guyanaise des pages 128-129 a été réalisée en Angleterre par quelqu'un qui tenait à reproduire, sous une forme stylisée, le cadre de vie de son enfance dans l'ex-Guyane britannique. Tout aussi stylisée, mais de conception complètement différente, la Weavers' House (« Maison des tisserands ») des pages 116-117, est également une œuvre originale. Elle a été

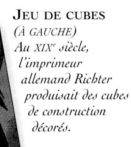

JEU DE CUBES (À GAUCHE)
Au XIXᵉ siècle, l'imprimeur allemand Richter produisait des cubes de construction décorés.

BOÎTE D'ALLUMETTES
(À DROITE) Cette chambre de malade fait partie d'une série allemande (qui est toujours commercialisée) de scènes miniaturisées dans des boîtes d'allumettes sur des thèmes divers tels que cuisines, cabanes et salles de classe.

LIVRE D'IMAGES
(À GAUCHE)
Les pages de ce livre, illustrées de découpages dépliants, composent une maison de huit pièces sur deux niveaux reliés par un escalier.

MAISON BLISS MINIATURE
(À DROITE)
Réalisée aux États-Unis, cette version moderne d'une maison Bliss est en papier imprimé.

réalisée en bois brut par une étudiante en architecture, Jane Blyth, qui la décrivit elle-même comme « un échafaudage d'espaces intercalaires jouant sur l'ombre et la lumière ». Cette maison a été conçue comme un jouet éducatif.

DES MODÈLES DE COLLECTION EXCEPTIONNELS

La maison que construisit Henry Hall en 1886, pour fêter la naissance de sa fille *(voir pages 114-115)*, est de facture plus conventionnelle. Mais on peut imaginer ce que fut plus tard le ravissement de cette petite fille d'être ainsi propriétaire d'une maison spécialement conçue pour elle, avec sa date de naissance inscrite sur la façade et ses initiales sur certains meubles. Malheureusement, on ignore si ce modèle réduit est une reproduction du véritable cottage des Hall.

Il y a, en revanche, une autre maison de poupées dont on est certain qu'il s'agit de la réplique exacte

d'une demeure londonienne *(voir page 134)*. On y trouve des détails très précis, tels que fenêtres à vitraux, balustrades et grilles en fer forgé, le tout reproduisant fidèlement, à l'échelle 1/12, la demeure où vécut la même famille pendant trois générations.

Parmi les maisons de poupées de facture vraiment exceptionnelle, il y a notamment la Queen Mary's Dolls' House, aujourd'hui conservée au château de Windsor, en Angleterre, et le Titania Palace, de Legoland, au Danemark. Le Fairy Castle de Colleen Moore, exposé au musée de la Science et de l'Industrie de Chicago, est une merveilleuse réalisation, conçue par l'un des meilleurs et des plus créatifs artistes de Hollywood.

Le regain d'intérêt que connaissent actuellement les modèles réduits de maisons conçus pour permettre à des adultes de donner libre cours à leur passion de la décoration d'intérieur et de l'ameublement suscite des œuvres tout à fait remarquables, surtout en Grande-Bretagne et aux États-Unis.

En Angleterre, notamment, on trouve ainsi de superbes maisons de poupées contemporaines, réalisées et meublées par des artisans d'art de très haut niveau. Deux des meilleurs spécialistes

MAISONS GIGOGNES
(À GAUCHE)
Ces cinq maisons japonaises, en bois peint, s'emboîtent les unes dans les autres comme des poupées russes.

actuels dans ce domaine sont John Hodgson et Kevin Mulvaney. John Hodgson a produit plusieurs demeures d'époques différentes, qui sont exposées au Hever Castle d'Edenbridge, en Angleterre. Deux des réalisations de Kevin Mulvaney sont, en revanche, beaucoup moins sédentaires. L'une, Britannia House, fait l'objet d'une exposition itinérante destinée à recueillir des fonds pour l'African Medical Research Foundation, et l'autre, s'inspirant de Versailles, a été achetée par le Californian Angels' Attic Museum et sert également à des fins caritatives.

TOUTE LA MAGIE D'UN MONDE À PART

Parfois, de superbes édifices ont de bien étranges occupants. Le château de Colleen Moore et le Titania Palace ont ainsi été conçus pour accueillir des fées et des elfes invisibles, tandis que Mirror Grange était la demeure de Pïp, Squeak et Wilfred (un chien, un pingouin et un lapin), héros populaires d'une bande dessinée britannique publiée dans les années 1920 et 1930.

De même, dans le monde des poupées, les habitations qui sortent de l'ordinaire ont toujours eu du succès. Dans les années 1920-1930, on produisit d'intéressantes « maisons ambulantes » en bois, du type caravane et house-boat *(voir pages 118-119)*. Les équivalents actuels sont évidemment en plastique, comme l'ingénieux mobile-home de la poupée Barbie.

Enfants et adultes ont toujours été fascinés par les petits objets. C'est ce qui explique le succès des intérieurs miniaturisés dans des boîtes d'allumettes qui furent lancés au tout début de ce siècle *(voir page 111)*, et dont la production se poursuit encore aujourd'hui dans des versions en plastique. Et puis, bien sûr, les chambres d'enfants des maisons de poupées ne pouvaient manquer d'avoir elles-mêmes leurs propres maisons de poupées, dont on trouve divers types, allant des modèles en plastique aux reproductions de maisons Bliss en papier imprimé.

D'une façon générale, les maisons de poupées que l'on peut répertorier comme étant « insolites », relèvent, par définition, d'un domaine où l'imagination des créateurs ne connaît pas de limites, qu'il s'agisse de la conception elle-même ou des matériaux utilisés.

MOBILE-HOME DE BARBIE
(CI-DESSOUS) Cet ingénieux véhicule peut s'ouvrir en deux parties, dont l'une forme une pièce meublée, au décor blanc et rose rehaussé d'or.

25 cm

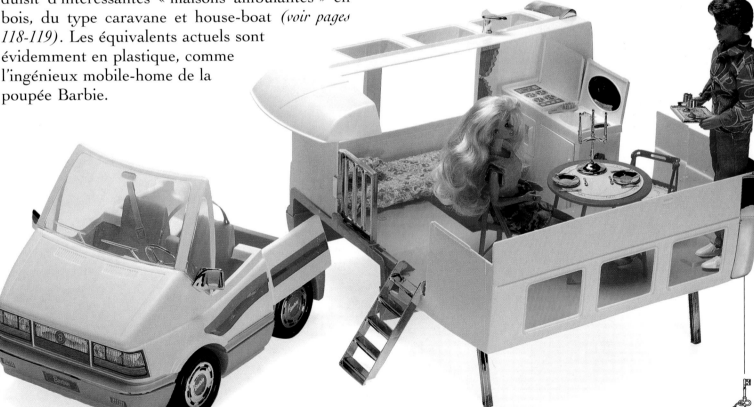

GRENIER

Une partie du toit (percé d'une lucarne vitrée) peut se soulever, permettant ainsi de découvrir l'intérieur de ce grenier aménagé en atelier d'artiste.

Chaise de bébé à siège surélevé

Peintre en robe de chambre et bonnet devant son chevalet

Rangées horizontales de fausses ardoises

Peinture additionnée de sable imitant un crépi

Papier mural, rideaux et tapis des années 1880

Cheminée en bois sculpté

Poupée à tête en porcelaine et membres en biscuit

L'une des chaises de la salle à manger

Rainure du panneau mural coulissant

Initiales de Henry Hall

Suspension en bois et fil de fer

Miroir à cadre doré

PIANO ET CHAISES
(CI-DESSUS)

Les meubles réalisés par Henry Hall sont assez simples, mais agrémentés de dorures et d'ornements sculptés ou ajourés ; c'est notamment le cas du piano, finement ouvragé.

Tapis découpé dans un ancien sac brodé

CONTENTED COT

— Angleterre, œuvre d'un capitaine au long cours – 1886 —

A L'INTÉRIEUR DU GRENIER, au-dessus de la fenêtre mansardée, est collée une vieille coupure de presse jaunie, indiquant que « le 11 octobre 1886, à Mount Pleasant Road, Brixham (Devon), l'épouse de Henry Hall, officier au long cours, a donné naissance à une fille ». Le seul élément manquant est le prénom de cette petite fille, à la naissance de laquelle un marin anglais construisit ce Contented Cot (« Heureux Logis »). La plus grande partie du mobilier est d'origine et porte les initiales de son talentueux créateur : « H.H. » Les autres meubles et les poupées ont été ajoutés plus tard, mais datent également de la fin du XIXᵉ siècle.

Panneau vitré coulissant

Poupée à tête en porcelaine, bas des membres en biscuit, corps en chiffon

ÉTAGE
Mi-chambre, mi-salon, la pièce de cet étage est essentiellement meublée d'un petit lit et de deux canapés. Une porte la fait communiquer avec la cage d'escalier.

Nom de la maison au-dessus de la porte

Levier actionnant une cloche dans le grenier

Porte fixe, les autres étant mobiles, comme les fenêtres (sauf la lucarne du grenier)

Conduit desservant deux cheminées

Avant du toit fixe

Fenêtre à deux battants qui s'ouvrent vers l'intérieur

Panneaux de fer-blanc ajourés, à encadrement de bois

Socle formant trottoir

Petits coquillages décoratifs

REZ-DE-CHAUSSÉE
Ce niveau est occupé principalement par une salle à manger qui communique par une porte avec le hall d'entrée, d'où part l'escalier montant à l'étage.

FAÇADE
Le nom de la maison, Contented Cot, est gravé au-dessus de la porte d'entrée. La balcon ouvragé, la décoration des fenêtres et la belle finition du toit témoignent bien du talent de Henry Hall, dont la profession maritime est évoquée par la présence de petits coquillages.

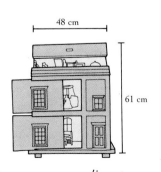

48 cm

61 cm

Deux panneaux coulissants sur l'arrière, partie du toit mobile

WEAVERS' HOUSE

— Angleterre, conception et réalisation de Jane Blyth – v. 1970 —

ETTE « MAISON DES TISSERANDS » (comme l'indique son nom anglais) est très originale, en cela qu'on peut en modifier la forme à volonté. De structure moderne, elle a été conçue par une étudiante en architecture, Jane Blyth, comme un jouet éducatif propre à stimuler la créativité des enfants.

Cette maison a un toit traditionnel, à deux versants, mais pour le reste sa construction dépend de l'imagination de son propriétaire. En dépit des aménagements complexes auxquels elle peut donner lieu, les matériaux qui la composent sont simples : tasseaux de bois, bâton-nets, ficelle, morceaux de toile, etc. Depuis ce premier modèle, Jane Blyth a créé plusieurs autres « maisons à thème » et présenté, notam-ment, un intéressant projet d'habitation multiculturelle au concours organisé en 1983 par le magazine *Archi-tectural Design*.

STRUCTURE DE BASE (*À GAUCHE*)
La forme de cette maison peut varier au gré de son propriétaire, car tous les éléments en bois du gros œuvre sont amovibles et interchangeables, à l'exception des panneaux latéraux, qui sont fixes. Toutes les fixations se font à l'aide de chevilles ou par de simples emboîtements.

Bois brut, sans peinture ni vernis

Échelle pouvant faire office de barrière

Écheveaux de ficelle pour le tissage

Montants emboîtés pour la toiture

Volets coulissant sur des planches horizontales

« Cœur de la maison » accroché à un montant

Plancher à plusieurs panneaux amovibles

Écheveau de ficelle en guise de cheveux

Poupée en bois, avec deux trous pour les yeux

Baquet en bois

36 cm

46 cm

Panneaux latéraux fixes, tout le reste est transformable

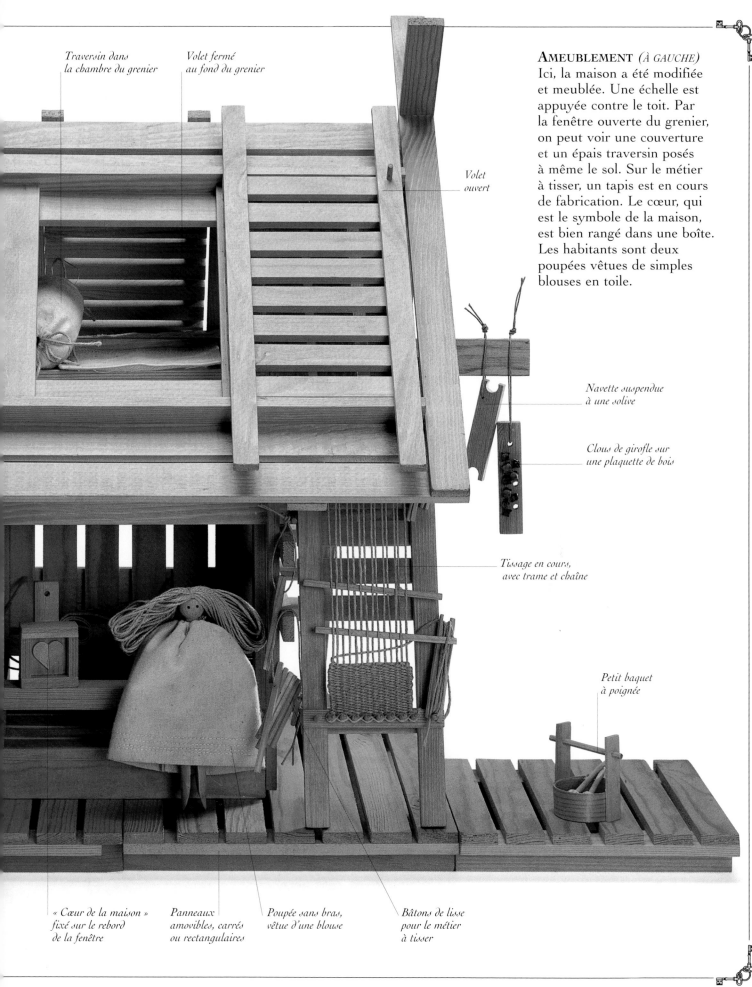

Traversin dans
la chambre du grenier

Volet fermé
au fond du grenier

Volet
ouvert

Ici, la maison a été modifiée
et meublée. Une échelle est
appuyée contre le toit. Par
la fenêtre ouverte du grenier,
on peut voir une couverture
et un épais traversin posés
à même le sol. Sur le métier
à tisser, un tapis est en cours
de fabrication. Le cœur, qui
est le symbole de la maison,
est bien rangé dans une boîte.
Les habitants sont deux
poupées vêtues de simples
blouses en toile.

Navette suspendue
à une solive

Clous de girofle sur
une plaquette de bois

Tissage en cours,
avec trame et chaîne

Petit baquet
à poignée

« Cœur de la maison »
fixé sur le rebord
de la fenêtre

Panneaux
amovibles, carrés
ou rectangulaires

Poupée sans bras,
vêtue d'une blouse

Bâtons de lisse
pour le métier
à tisser

MAISONS MOBILES

— Roulotte allemande et house-boat anglais – début du XXᵉ siècle —

 ES DEUX MODÈLES, TRÈS INSOLITES pour leur époque, avaient une double fonction, puisqu'ils étaient à la fois maisons de poupées et « jouets à remorquer ».

La roulotte, dont les parois extérieures sont agrémentées d'un discret décor imprimé, est de conception plus complexe que le house-boat. La plate-forme à auvent qui lui sert d'entrée est ornée de bacs à fleurs, et un tiroir est aménagé sous la structure principale pour ranger l'escalier d'accès à la plate-forme quand le véhicule se déplace.

Le principal ornement extérieur du house-boat est le garde-fou qui entoure le pont-promenade. Le seul personnage est un capitaine en bois sculpté, dont l'aspect caricatural contraste avec l'élégance des poupées françaises en biscuit qui occupent la roulotte. De robustes roues en métal sont dissimulées sous la coque du house-boat.

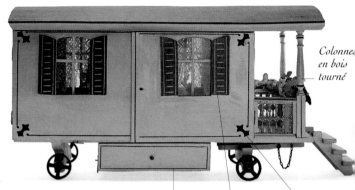

Colonne
en bois
tourné

FAÇADE
Les fenêtres à rideaux de dentelle sont encadrées par des volets en bois. La balustrade de la plate-forme est en métal doré à encadrement de bois.

Tiroir
pour
ranger
l'escalier

Volets peints
« à jalousies »

Filets
et motifs
décoratifs
bleu
marine

ROULOTTE
Il semble bien qu'aucun enfant n'ait jamais touché à ce jouet : le papier mural est immaculé, de même que les rideaux. Les meubles, à décor en papier doré, sont toujours attachés au sol, comme au sortir de chez le fabricant.

Montants en papier collé
sur la vitre

Garniture
en papier peint

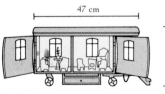

47 cm

25 cm

*Bois peint, panneaux ouvrants,
porte à charnières*

Roues en métal
sur un essieu
en bois

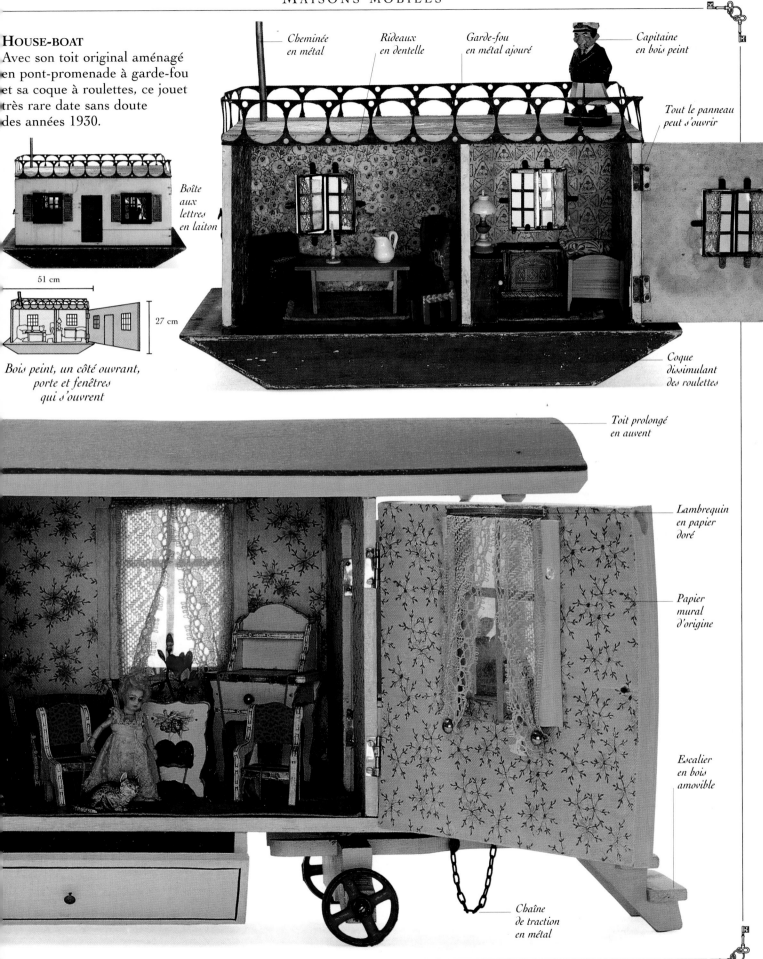

HOUSE-BOAT

Avec son toit original aménagé en pont-promenade à garde-fou et sa coque à roulettes, ce jouet très rare date sans doute des années 1930.

Boîte aux lettres en laiton

51 cm

27 cm

Bois peint, un côté ouvrant, porte et fenêtres qui s'ouvrent

Cheminée en métal

Rideaux en dentelle

Garde-fou en métal ajouré

Capitaine en bois peint

Tout le panneau peut s'ouvrir

Coque dissimulant des roulettes

Toit prolongé en auvent

Lambrequin en papier doré

Papier mural d'origine

Escalier en bois amovible

Chaîne de traction en métal

MAISON JAPONAISE

—— *Maison de poupées japonaise, importée en Angleterre en 1952*

CETTE MAISON DE POUPÉES est un modèle très rare, y compris au Japon — aussi suppose-t-on qu'il devait s'agir d'une commande particulière. On sait seulement qu'elle a été rapportée du Japon en 1952 par un photographe anglais qui l'offrit à sa fille. C'est une réplique fidèle d'une habitation japonaise du XIXe siècle, avec ses cloisons coulissantes en bois, son mobilier traditionnel et sa salle de bains extérieure. Au Japon, les dimensions d'une pièce se mesurent au nombre de nattes nécessaires pour en couvrir le sol ; ici, par exemple, la grande pièce du haut est de six nattes, alors que celle du bas est de huit nattes. Les parois extérieures et intérieures sont formées de panneaux qui coulissent dans des rainures du sol et du plafond.

Futon roulé

Ombrelle en papier

ÉTAGE
Le fond de la pièce de gauche est occupé par un placard avec des portes à claire-voie. La pièce de droite, réservée à l'accueil des hôtes, comporte un autel en alcôve.

Salle de bains à laquelle on peut accéder par l'intérieur ou l'extérieur

Porte extérieure de la salle de bains

Espace de rangement des panneaux extérieurs

Auvent de protection au-dessus de l'entrée

FAÇADE
La maison, en bois naturel, n'a pas de fenêtres vitrées, mais des ouvertures à écrans mobiles. Des écrans plus épais font office de volets.

Cuisine sur une plate-forme à cloisons coulissantes

99 cm

74 cm

Bois naturel, panneaux coulissants ou escamotables

REZ-DE-CHAUSSÉE
Des panneaux en bois tapissés de papier argenté séparent la grande pièce principale de l'escalier, du vestibule et de la salle de bains. La cuisine est cloisonnée de la même façon.

Toit amovible, articulé
par des charnières
au faîtage

Sous le toit, un dispositif
d'éclairage électrique

Kakemono ornant
l'alcôve de l'autel

Auvent de protection
des panneaux mobiles
de la façade

Escalier en bois
menant à l'étage

SALLE DE BAINS

(CI-DESSOUS) La salle de bains
est une structure extérieure
à double accès. A l'intérieur,
sur une plate-forme, les toilettes
sont séparées de la baignoire
en bois par une porte.

STYLE JAPONAIS

AU JAPON, LE MOBILIER qui n'est pas utilisé est généralement rangé, de façon à dégager les espaces intérieurs. L'utilisation de futons à la place de lits, par exemple, permet de transformer rapidement une chambre en salle de séjour. D'une façon générale, la sobriété caractérise le style japonais, la décoration des pièces se limitant à quelques ornements soigneusement choisis, avec des bouquets, des peintures murales du type kakemono et des objets en laque noire ou rouge agrémentés de dorures.

PIÈCE DE SIX NATTES
(À DROITE)

Au Japon, les nattes sont toujours réparties à même le sol selon une disposition traditionnelle. Sur celles de cette pièce sont posés trois shamisens, deux beaux petits coffrets en laque noire ornée (un plumier et un étui pour éventail), une lampe à pied en laque rouge, un futon et deux petites tables.

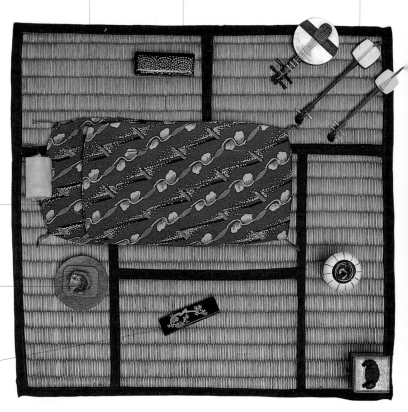

Natte en paille

Doublure de toile noire pour chaque natte

Shamisen, instrument à trois cordes dont on joue avec un plectre

Literie rangée dans un placard quand elle n'est pas en service

Décor floral sur une tablette

Petit coffret en laque à décor doré

CUISINE *(À GAUCHE)*

La cuisine proprement dite est placée en contrebas par rapport à une plate-forme de rangement. A droite, un évier en bois est rempli de légumes. A gauche, des récipients en bois sont posés sur une table.

Petite fille à l'entrée de la cuisine

Lanterne en papier à monture laquée

Lanterne roulante

OBJETS TRADITIONNELS
(À DROITE ET CI-DESSOUS)

A droite figurent des lanternes en papier décoré ; en bas à droite, le service pour le rituel du thé ; à gauche, les gâteaux multicolores spécialement préparés pour la fête des Filles, qui a lieu chaque année au mois de mars.

Gâteau de fête

Théière dans son réchaud

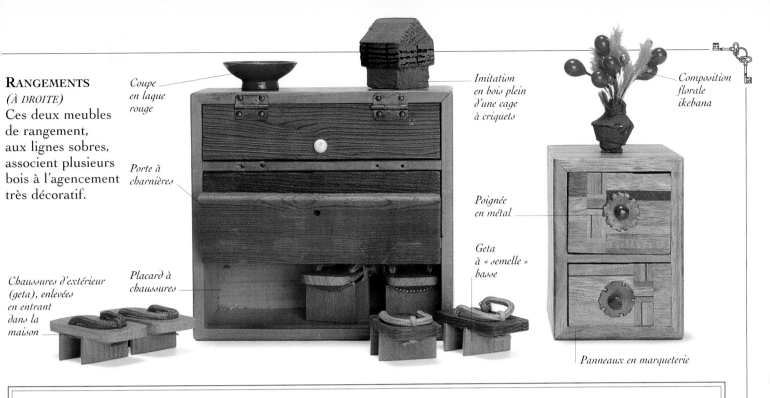

RANGEMENTS
(À DROITE)
Ces deux meubles de rangement, aux lignes sobres, associent plusieurs bois à l'agencement très décoratif.

Coupe en laque rouge

Porte à charnières

Chaussures d'extérieur (geta), enlevées en entrant dans la maison

Placard à chaussures

Imitation en bois plein d'une cage à criquets

Poignée en métal

Geta à « semelle » basse

Composition florale ikebana

Panneaux en marqueterie

POUPÉES ANCIENNES DU JAPON

CES POUPÉES ONT ÉTÉ RAMENÉES EN ANGLETERRE en même temps que la maison qu'elles occupent. Elles font partie d'une collection réunie par plusieurs générations d'une famille qui vécut très longtemps au Japon. Leur tête est couverte d'un mélange de coquilles d'huîtres pulvérisées et de colle, avec des yeux en verre et une perruque minutieusement coiffée. Les mains et les pieds moulés sont fixés sur des membres en fil de fer. Chaque poupée porte un costume très élaboré qui correspond à son personnage, avec notamment d'amples kimonos en brocart, entourés d'une large ceinture (obi).

Peignes décoratifs maintenant la coiffure

Composition florale traditionnelle

Coiffure ronde à favoris, typique d'un jeune homme

Tête montée sur une structure en fil de fer

Encolure à sept plis d'une dame de haut rang

Calligraphie décorative d'un poème

Petite fille en kimono et obi

Cheval de bois (apport moderne)

MAISON TIBÉTAINE

—— Réalisée en Inde par des moines tibétains – 1991 ——

Personnage féminin en costume traditionnel

C E MODÈLE RÉDUIT d'une habitation tibétaine traditionnelle a été réalisé par des moines du Drepung Loseling, réfugiés en Inde depuis l'exil du dalaï-lama, en 1959. A partir de 1983, ces moines ont entrepris de fabriquer des poupées et des maisons de poupées, tant pour initier les novices de leur monastère aux traditions artisanales de leur pays que pour se procurer des revenus. Cet exemplaire est en bois peint, avec des drapeaux de prières et d'autres ornements multicolores.

FAÇADE
Ces murs blancs, avec des fenêtres et des portes aux couleurs contrastées, sont tout à fait typiques des maisons tibétaines traditionnelles.

ÉTAGE
La salle de l'autel, à droite, a un plafond décoré de motifs symboliques. La pièce de gauche renferme deux meubles richement décorés et un lit simple en bois plein.

Drapeaux de prières

Jarre à encens fixée sur le balcon

Store en surplomb de la fenêtre

Fenêtre à quatre panneaux vitrés

Socle peint en imitation de briques

Portes à charnières, peintes en rouge et vert, avec poignées en métal

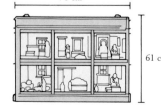

76 cm

61 cm

Structure en bois ouverte sur l'arrière, portes à charnières

REZ-DE-CHAUSSÉE
A gauche, la cuisine, avec des récipients en poterie. Au centre, le seul meuble est un canapé-lit laqué. A droite, un moine est agenouillé devant une table de prières.

Porte donnant
sur le balcon
de la façade

Châssis intérieur
d'un bleu plus clair
qu'à l'extérieur

L'une des huit fenêtres
des murs latéraux

Extrémité des poutres
du même bleu que les fenêtres

Porte coulissante du hall d'entrée   Murs peints en vert clair   Prise électrique pour l'éclairage de la maison

TRADITIONS DU TIBET

Tous les meubles de cette maison sont en bois peint, dont certains avec une grande profusion de motifs décoratifs traditionnels. Ces ornements varient d'une simple imitation de panneaux en laque, comme sur le canapé de la pièce centrale du rez-de-chaussée, à un travail très fouillé, comme le Sakyamuni du tanka qui orne le mur du fond, près de l'autel, à l'étage. L'autel lui-même et les tables de prières offrent d'autres exemples tout à fait caractéristiques des traditions décoratives du Tibet. En fait, en dehors de la cuisine, le seul meuble qui ne comporte aucune décoration est le canapé peint en noir, dans la pièce centrale de l'étage.

TANKA *(À DROITE)*
Cette image religieuse représente le Sakyamuni, autre nom de Siddhartha Gautama, qui fonda le bouddhisme. Le « Sage de Sakya » est en position du lotus avec, dans la main gauche, un bol de moine mendiant.

Sakyamuni représenté avec un corps doré et des cheveux bleus

Divinité assise sur une couronne de fleurs de lotus

Tanka fixé sur un fond en tissu bleu

Mastiff tibétain noir

Lhassa Apso blanc

CHIENS TIBÉTAINS
(À GAUCHE)
Ces chiens sont en céramique vernissée. Le plus gros est un chien de garde. Le Lhassa Apso est élevé depuis des siècles au Tibet comme animal de compagnie.

Marmite en poterie vernissée

Poêle carré orné de coquillages

Louche en métal

Récipient en poterie vernissée

Autel à décor multicolore

Motifs tibétains traditionnels

AUTEL ET CANAPÉ-LIT
(À GAUCHE ET CI-DESSOUS)
Ces deux meubles sont ornés de motifs et de couleurs caractéristiques des traditions tibétaines.

Décoration en imitation de laque

MATÉRIEL DE CUISINE
(CI-DESSUS) La cuisine est équipée de récipients divers et d'un poêle, dont le combustible est la bouse de yak séchée.

PERSONNAGES TIBÉTAINS

COMME LA MAISON ET SES MEUBLES, les poupées ont été sculptées par plusieurs artisans, si bien que chacune est unique en son genre, même si les proportions sont à peu près les mêmes pour toutes. Leur taille varie de 8 à 15 cm. Il semble que les visages, et peut-être les costumes, aient été peints par le même artiste, si l'on en juge par l'air de famille que présentent ces poupées, mais avec des différences selon leurs fonctions : le visage lisse et serein du moine contraste avec celui des deux personnages qui l'encadrent.

PERSONNAGES EN PRIÈRE
(CI-DESSOUS) Le moine est assisté par deux parents qui tiennent un mala (chapelet tibétain) et un moulin à prières.

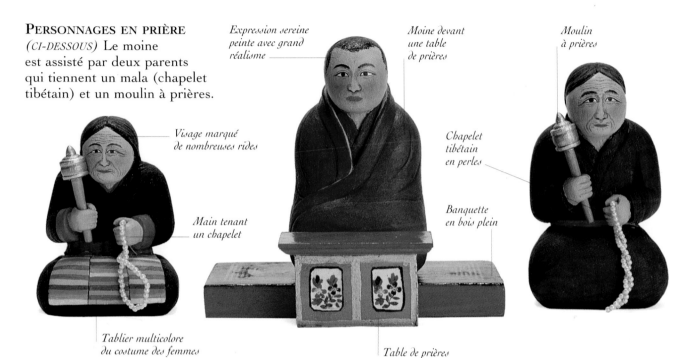

Expression sereine peinte avec grand réalisme

Moine devant une table de prières

Moulin à prières

Visage marqué de nombreuses rides

Chapelet tibétain en perles

Main tenant un chapelet

Banquette en bois plein

Tablier multicolore du costume des femmes

Table de prières

PERSONNAGES DEBOUT (CI-DESSOUS)
Ces poupées, minutieusement sculptées et peintes, portent des costumes aux très vives couleurs qui représentent plusieurs régions du Tibet.

Bonnet d'homme traditionnel

Chapeau orné de broderies

Bébé emmailloté

Variante régionale du costume traditionnel

Robe brodée de motifs dorés

MAISON GUYANAISE

—— Réalisée par une étudiante guyanaise, Ruth Bollers – 1992 ——

RUTH BOLLERS, ÉTUDIANTE guyanaise vivant à Londres, réalisa cette maison de poupées sur le modèle de la demeure où elle avait passé son enfance. Et tout en la concevant comme un jouet, elle voulut en faire une évocation fidèle de ce que fut son cadre de vie d'origine.

C'est le type d'habitation que l'on trouve couramment à Georgetown, la capitale du Guyana (ex-Guyane britannique), ou dans toute autre région de ce pays où les inondations sont fréquentes. Les maisons de ce genre ont une structure en greenheart ou en palissandre, avec des murs et des planchers en pin ou en acajou verni. Quant au mobilier, il est généralement en pin, en acajou, en rotin ou autres essences locales.

Cette maison de poupées est équipée des éléments essentiels présents dans toute demeure guyanaise : un hamac suspendu à l'ombre, une moustiquaire placée au-dessus du lit, un rocking-chair sur la véranda, ainsi qu'un fourneau, des tables et des chaises. Depuis la réalisation de cette très jolie maison pour ma collection, en 1992, Ruth Bollers l'a complétée, à ma demande, de toilettes et d'une douche.

Escalier d'accès à la véranda de l'entrée

Porte à charnières

Véranda formant une sorte de pièce supplémentaire

Sièges en bois teinté

Tapis en tissage multicolore

Fenêtres conçues pour un maximum d'aération

Évier et fourneau en bois, avec accessoires peints

Meubles peints en couleurs non toxiques

Escalier d'accès à la véranda de derrière

VUE DE DESSUS
Le mobilier, très simple, a été conçu à l'usage des enfants.

VUE DE CÔTÉ *(À DROITE)*
Le toit en « tôle ondulée » et les vérandas à escalier sont typiques des maisons guyanaises. Ce modèle ayant été conçu pour les enfants, les fenêtres n'ont pas de vitres.

Toit amovible, peint en imitation de tôle ondulée

Lignes peintes pour figurer des planches

Escalier en contreplaqué à rampes en pin

61 cm

50 cm

Toit amovible, fenêtres non vitrées, portes ouvrantes

Hamac en toile

VUE DE FACE

En dépit de sa simplicité, cette maison est pourvue de tout ce qui est nécessaire pour supporter le climat très chaud et humide du Guyana, avec des vérandas et de nombreuses ouvertures.

Toit se soulevant pour accéder à l'intérieur

Moustiquaire suspendue au-dessus du lit

Murs en contreplaqué

Rambarde à claire-voie pour un maximum d'aération

Pilotis en pin pour mettre la maison hors d'eau

Poupée en bois peint et verni

Rocking-chair peint en blanc

Bras articulés aux épaules par de la ficelle

Poupée en acajou tourné et sculpté

POUPÉES

(À DROITE)

Ces poupées très simples ont été conçues pour être des jouets. Leurs vêtements sont ceux de la vie quotidienne au Guyana : la femme est en sari, l'homme porte un maillot de corps et un pantalon.

BOÎTES ET COFFRETS

— *Maisons miniatures à usages pratiques* —

D EPUIS DES SIÈCLES, on a utilisé des maisons, au sens le plus large du terme, pour créer toutes sortes de contenants décoratifs ou utilitaires. Au XIXᵉ siècle, en particulier, la mode était aux petits coffrets à ouvrage en ivoire ou en os, aux boîtes à fard ou à pilules en céramique, tout cela en forme de maison ou même de château, sans parler des boîtes à musique, dont l'un des thèmes d'inspiration favori jusqu'à nos jours est le chalet suisse. Aux matériaux précieux d'autrefois se sont substitués plus récemment le carton, le fer-blanc et même le plastique. Les contenants en forme de maison servent désormais de tirelire, de bonbonnière, de boîte à gâteaux, voire de cartable.

COFFRET EN PAILLE
(CI-DESSOUS)
Cette magnifique petite reproduction du Capitole de Washington est un coffret en paille réalisé en Chine, où ce type d'objets est réservé à l'exportation.

Fente pour glisser les pièces de monnaie

Papier mâché peint

Fenêtre en papier imprimé collé

Fer-blanc à décor imprimé

BONBONNIÈRE
(CI-DESSUS)
On trouve de nombreux modèles de ce type, de formes diverses, avec un couvercle amovible ou articulé faisant office de toit.

BOÎTE À MUSIQUE
(CI-DESSOUS) Ce chalet en bois sculpté et peint est une boîte à musique réalisée en Suisse dans les années 1930.

Haut se soulevant sur un intérieur capitonné

TIRELIRE *(CI-DESSUS)*
Une maison miniature constitue une tirelire idéale, comme ce modèle d'une série commercialisée jusqu'en 1971.

Pailles formant colonnes

Toit à charnière s'ouvrant sur le mécanisme

Socle surélevé

Remontoir à ailettes

Conseils
PRATIQUES

Si cet ouvrage vous a donné l'envie d'entreprendre vous-même une collection de maisons de poupées, voici quelques conseils qui vous aideront à faire votre choix. Vous trouverez également dans ce chapitre ce qu'il faut savoir pour conserver en bon état ou restaurer des maisons de poupées anciennes, si vous en possédez ou envisagez d'en acheter.

• MAISON GOTTSCHALK •
Ce modèle allemand des années 1900-1910 a subi les outrages du temps.
De nombreuses réparations sont à envisager (voir pages 136-137).

LE CHOIX D'UNE COLLECTION

IL EST PLUS FACILE AUJOURD'HUI de se procurer des maisons de poupées, ne serait-ce qu'en se renseignant auprès des clubs et des magazines spécialisés sur la façon de procéder. Il y a, bien sûr, les marchands de jouets, mais aussi les antiquaires et les ventes publiques, sans parler des foires spécialisées qui ont lieu chaque année dans certains pays, notamment en Grande-Bretagne. Et si vous avez envie de vous offrir une maison de poupées « personnalisée », vous pouvez toujours faire appel aux compétences d'artisans qui travaillent sur commande.

RECHERCHES PRÉLIMINAIRES

Quel que soit le type de maisons de poupées que vous envisagez de choisir, mieux vaut commencer par réunir un certain nombre d'informations qui vous seront particulièrement utiles avant de vous lancer. Si vous êtes plus précisément intéressé par les modèles anciens, il existe de nombreux livres sur ce sujet, généralement rédigés par des spécialistes et extrêmement bien illustrés.

JOUETS ÉDUCATIFS
(À DROITE) La maison de poupées a souvent été considérée comme un jouet éducatif destiné à préparer les petites filles à leur futur rôle de maîtresse de maison.

Les musées et les collections privées accessibles au public (dans certains châteaux, notamment) sont également de précieuses sources de renseignements. Vous pourrez, en particulier, y visualiser les styles des différents types de maisons de poupées, mais aussi leurs dimensions — paramètre important en fonction de l'espace dont vous disposez.

Dans le cas d'une vente aux enchères, les objets proposés sont généralement exposés à l'avance, ce qui permet de se faire une idée de leur intérêt et

SALLE DES VENTES
*(À GAUCHE)
A Londres, chez Christie's — l'une des plus importantes salles des ventes du monde —, Olivia Bristol est la spécialiste des expertises de maisons de poupées.*

FOIRE ANNUELLE
*(À DROITE)
Les principaux fabricants de maisons de poupées se retrouvent chaque année dans les foires spécialisées, comme le Dolls' House Festival de Londres.*

UN SPÉCIALISTE
(À GAUCHE)
John Hodgson crée des meubles miniatures et de superbes maisons de poupées, dont certaines sont exposées à Hever Castle (voir pages 48-51).

UN MUSÉE
(À DROITE)
Certaines collections privées accessibles au public sont d'une grande richesse. Tel est le cas du Dolls' House & Toy Museum, créé à Washington, aux États-Unis, par Flora Gill Jacobs.

de leur état. Ce dernier point est essentiel, car, aussi séduisante que puisse être une maison de poupées, elle risque de vous coûter beaucoup plus cher que son prix d'achat en travaux de restauration si elle est trop dégradée.

Quant aux foires spécialisées, elles sont d'un très grand intérêt pour les collectionneurs. D'abord parce qu'on peut y trouver un vaste choix de modèles à tous les prix. Ensuite parce qu'elles sont l'occasion de faire de nombreuses rencontres particulièrement riches d'enseignements, tant avec d'autres amateurs et collectionneurs qu'avec des artisans réputés qui conçoivent et réalisent des maisons de poupées, avec tout ce qu'elles peuvent contenir — décoration intérieure, ameublement et accessoires divers.

MAISONS À CONSTRUIRE SOI-MÊME

Construire vous-même une maison de poupées vous coûtera évidemment beaucoup moins cher que d'en faire fabriquer une ou d'acheter un modèle ancien. Si vous optez pour cette formule, les magasins spécialisés vous fourniront les ouvrages et le matériel nécessaires. On saura, en outre, vous y prodiguer toutes sortes de conseils utiles et vous indiquer l'adresse d'artisans auxquels vous pourrez faire appel pour vous aider. Les possibilités sont illimitées, soit que vous laissiez libre cours à votre imagination, soit que vous reproduisiez telle ou telle maison en particulier. Dans ce dernier cas, inspirez-vous largement de photographies du mo-

dèle original, en les réduisant à l'échelle voulue par des photocopies.

Une solution intermédiaire consiste à acheter une maison de poupées initialement conçue pour les enfants et de la « personnaliser » en y apportant tous les aménagements que vous souhaitez y voir figurer. C'est certainement le meilleur moyen de vous offrir, pour un prix relativement modique, la « maison de vos rêves », avec la garantie qu'elle sera parfaitement à l'échelle des accessoires disponibles dans le commerce.

UN MAGASIN SPÉCIALISÉ (CI-DESSUS)
En Grande-Bretagne, la vogue des maisons de poupées est particulièrement florissante. Aussi peut-on y trouver des magasins spécialisés offrant un vaste choix de modèles et d'accessoires, comme The Dolls' House, ouvert à Londres en 1971 par Michal Morse.

DOCUMENTS EN MINIATURE

OUTRE LES SATISFACTIONS, esthétiques ou autres, qu'elles procurent, les maisons de poupées peuvent être intéressantes pour des raisons beaucoup moins subjectives.

SOUVENIR DE FAMILLE
(À GAUCHE)
Cette belle maison de quatre étages a été réalisée à l'échelle 1/12 pour conserver le souvenir de la demeure où se succédèrent trois générations d'une même famille. La façade, le mur du fond et certains panneaux latéraux peuvent s'ouvrir pour accéder à l'intérieur.

C'est notamment vrai lorsqu'elles constituent de véritables documents en miniature, susceptibles de fournir aux historiens de précieux renseignements sur le mode de vie, l'architecture et la décoration intérieure caractéristiques d'une période donnée dans tel ou tel pays.

A cet égard, les plus riches d'enseignements, sont évidemment les maisons de poupées anciennes. Certains modèles, comme Nostell Priory, par exemple, ressemblent à la résidence où ils sont encore exposés de nos jours. D'autres maisons sont des répliques exactes de la demeure de leur propriétaire d'origine.

DE PRÉCIEUSES ARCHIVES

Il arrive parfois que la provenance d'une maison de poupées ait été enregistrée dans des documents que l'on a conservés. En Angleterre, Uppark *(voir page 7)* est l'un des exemples les plus connus. De même, aux Pays-Bas, Sara Ploos Van Amstel a laissé des registres très détaillés et extrêmement intéressants sur la construction de ses deux célèbres cabinets-maisons de poupées.

Les collectionneurs sont désormais conscients du fait que les maisons de poupées du XXe siècle sont suceptibles de fournir de précieux renseignements aux historiens de demain. C'est pourquoi certains d'entre eux ont particulièrement à cœur de reproduire aussi fidèlement que possible leur

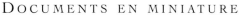

ÉTIQUETTE CALLCOTT
(À DROITE)
Cette étiquette est collée sous une maison en papier mâché qui a été fabriquée en 1914 (voir page 73), dont elle identifie ainsi l'origine.

CHAISE AVERY (À GAUCHE
ET CI-DESSUS) *W. Avery & Son, de Redditch (Worcestershire), était une manufacture anglaise qui se lança, à partir des années 1860, dans la fabrication d'étuis à aiguilles en forme de meubles miniature.*

propre maison ou d'autres constructions caractéristiques de l'époque actuelle.

De telles entreprises risquent évidemment de se révéler très onéreuses, mais leur coût peut être considérablement réduit si l'on se contente de réaliser, à une échelle plus modeste, de simples modèles en carton ou en plâtre, dont les détails sont seulement peints — toutefois de façon très minutieuse. Dans tous les cas, si l'on veut qu'une maison de poupées puisse être considérée comme un document historique destiné aux futurs chercheurs, il est extrêmement important d'y adjoindre une étiquette mentionnant le nom du fabricant, la date de construction et les références de la véritable maison qui a servi de modèle.

L'IMPORTANCE DES ÉTIQUETTES

En effet, l'un des problèmes essentiels auxquels sont confrontés tous les collectionneurs est celui de l'identification ou de l'authentification d'une maison de poupées et de son contenu. On ne peut évi-

ÉTIQUETTE SCHOENHUT
(À DROITE) *Cette manufacture fut surtout célèbre pour ses bungalows à décors en trompe l'œil.*

ÉTIQUETTE BLISS
(À DROITE) *Le logo de cette marque est souvent incorporé au décor en lithochromographie de la façade, comme c'est le cas ici (voir pages 90-91).*

demment que se réjouir lorsque les fabricants ont pris soin de signer leur production, que ce soit sous la forme d'une étiquette, comme Schoenhut, ou d'une marque distinctive intégrée dans la décoration, comme Bliss.

En revanche, on regrette que tant d'artisans et de petites entreprises n'aient pas laissé le moindre signe distinctif sur les maisons ou le mobilier qu'ils ont réalisés et qui aurait permis de les reconnaître. Ainsi, de longues et difficiles recherches ont été nécessaires aux spécialistes pour parvenir à identifier les élégants accessoires en métal produits au début du XIXe siècle par Evans & Cartwright, ou les meubles « laqués » de Westacre Village, qui datent des années 1930.

En l'absence d'étiquette ou de toute autre marque de fabrique, les collectionneurs ne peuvent compter que sur leurs connaissances et leur expérience pour identifier ou authentifier une pièce. C'est pourquoi il leur est indispensable de lire un maximum d'ouvrages spécialisés, de fréquenter régulièrement les musées et de discuter avec d'autres collectionneurs passionnés pour parvenir à déterminer l'origine de certains modèles.

MOBILIER BLISS
(À GAUCHE)
Bien que surtout connue pour ses maisons de poupées, la firme américaine Bliss a également produit des séries de mobilier miniature. Vers 1901, l'une de ces séries était décorée avec des lettres de l'alphabet, généralement imprimées en rouge ou en marron ; elle comprenait plusieurs ensembles différents, principalement des meubles de chambre à coucher et de salon.

RESTAURATION ET ENTRETIEN

Il n'est pas toujours facile de savoir comment restaurer une maison de poupées, voire de déterminer si une telle intervention est nécessaire. Sur ce dernier point, tous les spécialistes vous donneront le même conseil : en cas de doute, mieux vaut s'abstenir. Une restauration abusive ne pourrait, en effet, qu'aggraver les choses.

Dans certains cas, toutefois, une intervention s'impose de façon indiscutable. Quand une maison ancienne a été dénaturée par un revêtement mural moderne ou des rideaux synthétiques, par exemple, il faut remplacer ces anachronismes par des restes de vieux papier peint ou de tissus anciens.

Toute trace de vermoulure ou autre dégradation du bois doit être traitée immédiatement, de même que la corrosion des éléments métalliques. Mais, pour de tels problèmes, mieux vaut faire appel à un spécialiste.

Quant à l'installation d'un éclairage électrique, c'est affaire de choix personnel. Mais il est préférable de s'en abstenir si le style de la maison ne se prête pas à ce type d'aménagement.

Enfin, l'entretien d'une maison de poupées implique surtout des nettoyages réguliers et un certain nombre de précautions élémentaires, comme d'éviter l'humidité ou la trop grande proximité d'une source de chaleur.

Papier écaillé

Des graffitis difficiles à effacer peuvent être cachés par du mobilier

UN TRAVAIL MINUTIEUX
(CI-DESSUS) Ella Hendricks, conservateur au musée Frans Hals de Haarlem, aux Pays-Bas, travaille ici sur l'un des cabinets de Sara Ploos Van Amstel (voir pages 34-37).

Vitre à remplacer

Rupture verticale à réparer

Papier mural anachronique

Fissure à colmater dans la « maçonnerie »

Traces d'humidité sur le socle

UNE ERREUR *(À DROITE)*
La fenêtre peinte, au rez-de-chaussée de cette charmante petite maison Bliss, est une restauration abusive, en dépit des apparences : contrairement à celles de l'étage, cette fenêtre était vitrée à l'origine.

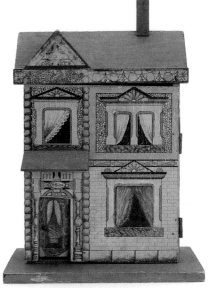

Toit mal repeint

MAISON EN MAUVAIS ÉTAT
(À GAUCHE) Beaucoup de travail sera nécessaire pour restaurer cette maison Gottschalk. Il faut notamment réparer la façade, remplacer portes et fenêtres, changer du papier mural et repeindre le toit.

Des charnières doivent être fixées à leur emplacement d'origine

Porte mal peinte

Il faut s'interroger sur le style des fenêtres à remplacer

Balcon en métal à décaper

Fissure à colmater et à peindre

Cette porte devra être refaite dans un style adéquat

Papier fripé, pas d'origine

PROBLÈMES EXTÉRIEURS

ÉTAT D'ORIGINE
(CI-DESSUS)
Dans certains cas, lorsque les dégradations ne sont pas très graves, comme c'est le cas ici, mieux vaut conserver l'état d'origine.

PORTE MANQUANTE
(CI-DESSUS)
Ici, l'absence de porte nuit à l'aspect général. Il est donc indispensable d'en faire une réplique exacte, d'après un modèle identique.

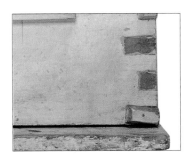

DÉTAILS DISPARUS
(CI-DESSUS) La restauration de cette arête de mur est surtout affaire de choix personnel, car les éléments qui manquent ne sont pas indispensables à l'harmonie de l'ensemble.

TOIT ENDOMMAGÉ
(CI-DESSUS) La restauration s'impose, car la détérioration de ce toit d'un bungalow Schoenhut risque de s'aggraver considérablement avec le temps ou au moindre choc.

PROBLÈMES INTÉRIEURS

PAPIER DÉCHIRÉ
(CI-DESSUS) Faute de pouvoir retrouver un papier mural absolument identique à celui-ci, le mieux est de dissimuler la partie déchirée par un tableau ou un meuble.

RIDEAUX À REMPLACER
(CI-DESSUS) Le mieux est d'utiliser des morceaux de tissus anciens. Pour les tringles, des fragments de vieilles aiguilles à tricoter en bois ou en os feront l'affaire.

Adresses utiles

CANADA

BOUTIQUES

ARTICRAFT
6000, avenue
Christophe-Colomb
Montréal (Québec) H2S 2G2

**BOUTIQUE GABRIEL
FILION**
1127, avenue Laurier Ouest
Montréal (Québec) H2V 2L3

**CENTRE DU
PASSE-TEMPS TED**
291, boulevard Saint-Jean
Pointe-Claire (Québec)
H9R 3J0

DAISY DOLLHOUSE
C. P. 92
Flatbush (Alberta) T0G 0Z0

THE DOLL ATTIC & CO.
62, rue Brock
Kingston (Ontario) K7L 1R9

HEIDI
538, rue Principale
Hudson (Québec) J0P 1J0

**THE LITTLE
DOLLHOUSE CO.**
617 Mt Pleasant Road
Toronto (Ontario) M4S 2M5

MINIATURES PLUS
Place-Bonaventure, C. P. 160
Montréal (Québec) H5A 1A7

MINIATURES PLUS
705, rue Sainte-Catherine Ouest
Montréal (Québec) H3B 4G5

**LE MONDE
DES PASSE-TEMPS**
5450, rue Sherbrooke Ouest
Montréal (Québec) H4A 1V9

**ROSS' TREASURE
HOUSE LTD**
823 First Street West
North Vancouver (C.-B.)
V7P 1A4

VICTOIRE VICTORINE
4859, rue Sherbrooke Ouest
Montréal (Québec) H3Z 1G9

ASSOCIATIONS

LES AMIS DES POUPÉES
C. P. 966
Hudson (Québec) J0P 1H0

**LES ENTHOUSIASTES
DE MINIATURES
DE MONTRÉAL**
7, avenue Baldwin
Roxboro (Québec) H8Y 2W9

**MINIATURE ARTISANS
OF THE GREATER
MONTREAL AREA**
2079, avenue Grey
Montréal (Québec) H4A 3N3

**MINIATURES CLUB OF
BRITISH COLUMBIA**
7427, 13e Avenue
Burnaby (C.-B.) V3N 2E2

**MINIATURE
ENTHUSIASTS OF
OTTAWA**
C. P. 185, succ. B
Ottawa (Ontario) K1P 6L4

**MINIATURE
ENTHUSIASTS OF
TORONTO**
260 Adelaide East
Toronto (Ontario) M5A 1N1

**MINIATURE
ENTHUSIASTS OF
WINNIPEG**
402, rue Sackville
Winnipeg (Manitoba) R3S 1Z8

THE MINISCALE RULER
118 Apple Meade Close S.E.
Calgary (Alberta) T2A 7S7

**MONCTON MINIATURES
AND DOLL CLUB**
Moncton (N.-B.) E1L 8J5

**ONTARIO MINIATURE
ENTHUSIASTS OF THE
GUELPH AREA**
610-33 Dawson Road
Guelph (Ontario) N1H 5V3

PUBLICATIONS

**THE CANADIAN DOLL
JOURNAL**
1284 Adirondack Drive
Ottawa (Ontario) K2C 2V3

GOOD TIMES
5148, boulevard Saint-Laurent
Montréal (Québec) H2T 1R8

MAGASIN DE TISSUS
*De conception très rudimentaire,
cette boutique des années 1930
n'est en fait qu'une petite boîte
compartimentée dont le couvercle
s'abaisse pour former le sol.
Les personnages – une vendeuse
et une cliente, dans leurs
vêtements d'origine – sont
également de très simples
poupées en bois, fabriquées
en Allemagne dans les
années 1920.*

ÉTATS-UNIS

ANGEL'S ATTIC
516 Colorado Avenue
Santa Monica,
California 90401-2408

ANTIQUE DOLL WORLD
225 Main Street, Suite 300
Northport, N.Y., 11768-9882

**CONTEMPORARY DOLL
COLLECTOR**
Scott Publications
30595 Eight Mile
Livonia, Michigan.

**MARGARET WOODBURY
STRONG MUSEUM**
1 Manhattan Square
Rochester, N.Y. 14607

**MUSEUM OF THE CITY
OF NEW YORK**
1220 Fifth Avenue
New York, N.Y. 10029

**MUSEUM OF SCIENCE
AND INDUSTRY**
5700 Lakeshore Drive
Chicago, Illinois 60637

**SMITHSONIAN
INSTITUTION**
Museum of American History
Washington D.C. 20560

**TOY & MINIATURE
MUSEUM**
5235 Oak Street
Kansas City, Missouri 64112

**UNITED FEDERATION OF
DOLL CLUBS**
10920 North Ambassador Drive
Kansas City, Missouri 64153

**WASHINGTON
DOLLS' HOUSE & TOY
MUSEUM**
5236 44th Street N.W.
Washington D.C. 20015

FRANCE

**MUSÉE DES ARTS
DÉCORATIFS**
Département des jouets
Palais du Louvre
107, rue de Rivoli
75001 Paris

MUSÉE DU JOUET
1, enclos de l'Abbaye
78300 Poissy

GLOSSAIRE

AJOURÉ Se dit d'un panneau (bois, métal, etc.) percé de « jours », c'est-à-dire de petites ouvertures décoratives.

ARCHITRAVE Moulure surmontant l'encadrement d'une porte ou d'une fenêtre ; grosse poutre reposant directement sur des colonnes.

BAIE Grande ouverture vitrée, fixe ou mobile, faisant office de porte ou de fenêtre.

BALDAQUIN Dais (généralement en tapisserie) placé au-dessus d'un lit et qui peut être complété ou non par des rideaux.

BALUSTRADE Clôture ajourée bordant un balcon, une terrasse, une estrade, etc.

BALUSTRE Chacun des piliers de soutien galbés d'une balustrade.

BIEDERMEIER Style d'ameublement et de décoration d'intérieur très en vogue dans la bourgeoisie allemande et autrichienne entre 1815 et 1848.

BISCUIT Porcelaine non recouverte d'une couche émaillée.

BROCART Étoffe de soie à motifs brodés de fils d'or ou d'argent.

CABINET Meuble traditionnellement destiné au rangement d'objets de collection ; certains cabinets ont été aménagés en maison de poupées pour y présenter du mobilier en miniature.

CABRIOLES Désigne les pieds élevés et cambrés de certains types de meubles.

CANDÉLABRE Chandelier à plusieurs branches.

CANTONNIÈRE Bandeau décoratif garnissant tout ou partie de l'encadrement d'une fenêtre ou d'une porte.

CHÂSSIS Encadrement fixe ou mobile d'une ouverture vitrée.

CHROMOLITHOGRAPHIE Image ou décoration en couleurs réalisée au moyen de plusieurs impressions successives.

CLAVEAU Pierre taillée à pans obliques pour qu'elle s'insère dans une voûte ou un linteau.

CLAVICORDE Instrument de musique à cordes frappées, auquel succéda le piano.

CLAW AND BALL Pied de certains meubles anglais du XVIIIe siècle, figurant des griffes refermées sur une boule.

CONFIDENT Meuble de salon à structure en S formant deux sièges à dossiers inversés.

CONSOLE Élément de soutien, en forme de S ou de volute, d'une corniche ou d'un balcon ; petite table posée en applique contre un mur.

CONTREMARCHE Partie verticale d'une marche d'escalier.

CORNICHE Élément en saillie couronnant un édifice ou un meuble dans un but utilitaire (protection) ou décoratif.

DALLE Plaque de pierre servant au revêtement d'un sol.

ENCORBELLEMENT Partie d'un édifice formant surplomb.

ENTABLEMENT Dans certains édifices, ensemble formé par une architrave, une frise et une corniche reposant sur des colonnes.

FAÏENCE Céramique décorée, couverte d'un enduit imperméable opaque.

FAÎTAGE Sommet d'un toit.

FAÎTEAU Ornement surmontant un faîtage.

FERRURE Garniture métallique d'un meuble, d'une porte ou de toute autre pièce en bois.

FILIGRANE Ouvrage décoratif formé de fils de métal (le plus généralement précieux) entrelacés et soudés.

FLEURON Ornement sculpté placé au couronnement d'un toit ou d'un meuble.

FONTANGE Coiffure féminine en vogue à la fin du XVIIe siècle (d'après le nom d'une maîtresse de Louis XIV) et formée d'un échafaudage décoratif monté sur une structure en laiton.

FRISE Bordure décorative formant une bande continue sur un mur ou un meuble.

SIMILITUDES

(À GAUCHE)
En dépit de sa ressemblance avec de nombreuses maisons américaines à décoration lithographique du type Bliss, ce modèle a été fabriqué en Allemagne vers 1900, sans doute dans les ateliers Moritz Gottschalk.

FRONTON Couronnement d'une maison entre deux pentes de toit, ou d'une partie d'édifice, par exemple au-dessus d'une porte.

GEORGIEN Style anglais d'architecture et d'ameublement correspondant à la période 1714-1830.

GUILLOTINE (À) Se dit d'une fenêtre dont le châssis mobile s'ouvre ou se ferme en coulissant verticalement dans des rainures latérales.

IMPOSTE Panneau fixe, généralement vitré, surmontant une porte ou une fenêtre.

JABOT Ample ornement de col (en dentelle, mousseline, soie, etc.) débordant sur la poitrine.

JARDINIÈRE Bac décoratif ou meuble à caisson étanche conçu pour contenir des plantes en pots.

LAITON Alliage de cuivre et de zinc pouvant inclure également d'autres métaux.

LAMBREQUIN Garniture décorative en tissu, généralement à franges et festons, servant à masquer les points d'attache de rideaux ou de draperies.

LAMBRIS Revêtement mural formé de panneaux de bois à encadrement.

LAMPADAIRE Meuble d'éclairage à haut support vertical reposant sur le sol.

LUCARNE Petite ouverture, généralement vitrée, pratiquée dans un toit pour donner de la lumière.

MARQUETERIE Technique de décoration utilisée en ébénisterie, associant le placage et l'incrustation.

MODILLON Ornement sculpté disposé sous la saillie d'une corniche ou bien d'un chapiteau de colonne.

PIGNON Couronnement triangulaire d'un mur délimité par les deux pentes d'un toit.

PLINTHE Bande de protection à décor distinct placée au bas d'un mur ou d'une cloison.

TROMPE-L'ŒIL Décor peint de façon à donner l'illusion du relief et de la perspective.

VICTORIEN Désigne tout ce qui est relatif à la période de l'histoire britannique correspondant au règne de la reine Victoria (1837-1901).

VIRGINAL Instrument de musique à cordes pincées, voisin du clavecin mais plus petit, surtout en vogue en Angleterre au XVIIe siècle.

INDEX

MAISON POLLOCK
La façade ouvrante de cette maison en bois, réalisée dans les années 1970 par John Gould, est tapissée d'un papier imprimé à la main par Pollock au XIXᵉ siècle.

AMEUBLEMENT
Dans cet assortiment de meubles simples destiné à un bungalow Schoenhut de 1917, le bois est le matériau dominant, mais les chenets sont en métal et l'abat-jour de la petit lampe en plastique.

ARMOIRE À LINGE 1900
Garnie de linge de maison, d'écheveaux, de draps et même de bourre à matelas, cette armoire en bois peint est une belle et fidèle réplique miniature du meuble qui faisait traditionnellement partie du trousseau de mariage des jeunes filles allemandes et autrichiennes.

ÉCLAIRAGE AU GAZ
Ce beau lustre en plomb doré avec globes en opaline ornait un salon français vers 1880. Quand l'électricité se répandit, les fabricants adaptèrent ce genre de suspension en y ajoutant des ampoules de verre et en remplaçant les globes par des abat-jour.

RELIQUE AMÉRICAINE
*Cette maison de poupées,
datée de 1744 au sommet
de la « colonne » de droite,
est le plus ancien modèle
américain connu.*

CRÉDITS ILLUSTRATIONS

MAISON ET JARDIN
Le panneau en abattant du petit jardin peut, une fois débarrassé de ses accessoires, se replier vers le haut pour former ainsi le quatrième mur de cette ingénieuse maison de poupées allemande du XIXᵉ siècle.